JN106740

あなたはどの「片づけ」タイプ?

片づけタイプ診断

「整理収納意識」と「モノへの愛情度」で自分の片づけタイプを見極めよう! それぞれの質問について、A～Eの中で、自分の気持ちに当てはまるものに◯をつけてください。つけた◯の点数を足し合わせ、それぞれの診断の「合計点」を出してみましょう。

A:とてもあてはまる B:ややあてはまる C:どちらともいえない D:あまりあてはまらない E:まったくあてはまらない

「整理収納意識」診断

	A	B	C	D	E
食卓の上がよく散らかっている	5	4	3	2	1
「片づけをする時間」を意識的に設けている	1	2	3	4	5
まだ使えるモノでも、自分にとって必要なければ意識的に手放す	1	2	3	4	5
家にあるモノの量を正しく把握している	1	2	3	4	5
探しものをすることはめったにない	1	2	3	4	5
脱ぎっぱなしの服や置きっぱなしのカバンがよくある	5	4	3	2	1
捨てるつもりで何ヵ月もそのままになっているモノがある	5	4	3	2	1
いま持っている収納棚・収納ケースは、自分の家にぴったりだ	1	2	3	4	5
家族や友人から、家がきれいだと褒められることが多い	1	2	3	4	5
自分は、片づけが得意なほうだ	1	2	3	4	5

あなたの整理収納意識　　　　点

「モノへの愛情」診断

	A	B	C	D	E
人に自慢したくなるモノが、家の中で10個以上思いつく	5	4	3	2	1
家族・友人と、モノについて話している時間が好きだ	5	4	3	2	1
買いものでは、1つのモノを選ぶのに時間をかけるほうだ	5	4	3	2	1
ブランド品が好きだ	5	4	3	2	1
コレクションしているモノがある	5	4	3	2	1
製作者のルーツや、モノがつくられた背景などを調べるのが好きだ	5	4	3	2	1
苦労して手に入れたモノがある	5	4	3	2	1
自分自身でモノをつくるのが好きだ	5	4	3	2	1
モノは、修理をこまめにし、長く使いつづけるほうだ	5	4	3	2	1
部屋には好きなモノがたくさんあり、眺めていると幸せな気持ちになる	5	4	3	2	1

あなたのモノへの愛情度　　　　点

結果は次のページ!

片づけタイプ診断結果

あなたの「整理収納意識」と「モノへの愛情度」は何点でしたか？
整理収納意識とモノへの愛情度の２軸から、4タイプに分けることができます。

さあ、どのタイプか、わかりましたね？
次のページからそれぞれのタイプについて説明します。

秘密基地住人

整理収納意識
30点以上
×
モノへの愛情
33点以上

低→
50〜30点

ゴミ館仙人

整理収納意識
30点以上
×
モノへの愛情
33点未満

＊同じ人でも時期によって整理収納意識は変動することがあります。

整理収納意識

- 合計 30 点以上→意識が低い　・合計 30 点未満→意識が高い

モノへの愛情

- 合計 33 点以上→愛情が強い　・合計 33 点未満→愛情が弱い

*これは2019年9月に行なった独自調査で、東京都および北関東在住の600人に対して調査を行い、その中央値をボーダーラインとして取っています。

モノへの愛情は強いけれど、整理収納意識は低い

秘密基地住人

[整理収納意識]
低い

[モノへの愛情]
強い／モノが多い

[生活]
モノへの愛を重視したこだわりの空間

[家の状態]
モノが散らかりがち／探しものがすぐに見つからない／掃除が隅々まで行き届かない／人を招きづらい

[得意とする片づけ法]
そもそも片づけが得意ではない／途中で挫折しやすい

モノへの愛が深く、多趣味だったり、好きなものがハッキリしていたりするこのタイプの方の家は、まるで「遊べる本屋」ヴィレッジヴァンガードのよう。好きなモノであふれた家は、楽しく豊かに暮らせる反面、掃除がしにくいなどの不都合もあります。でも、それも「我慢できる」レベルのもの。「たまに不便だけど、居心地がいいし……」と、片づけに対するモチベーションが湧きづらく、4タイプの中では一番時間がかかるタイプです。

そして、一気に捨てて片づけるのはNG! 数日後に大後悔した挙句、反動で買い込み、片づける前よりモノが増えてしまう、なんてケースも。

このタイプの方が最初に力を入れてほしいのが、片づけに対する「マインドセット」です。「自分はどんな家を目指したいのか」を明確にして、マイペースによりよい家をつくっていきましょう。

モノへの愛情が強く、整理収納意識が高い

カリスマ収納職人

[整理収納意識]
高い

[モノへの愛情]
強い／モノが多い

[生活]
スッキリ暮らしたい

[家の状態]
モノは多いけれど、上手に収納されている

[得意とする片づけ法]
さまざまな収納テクニックやグッズを駆使／毎日片づける

愛するモノがたくさんあって、手放すことはしたくない、そして、スッキリ暮らしたいという思いもあるため、日々片づけに意識を向けているのがこのタイプの方。「収納術」ブームをリードする存在です。

でも、片づけをがんばれるときはいいけれど、少しサボったら家がぐちゃぐちゃになってしまった…なんてことも。

このタイプの方が片づけに時間がかかっている原因は、家の中に、物理的にモノが多いこと。ですから、モノとの向き合い方と管理方法についての課題を、あらためて洗い出してみましょう。

理想は、週末30分、家族みんなで協力して、サクっと片づけが終わる状態。毎日の片づけから解放されると、自分がやりたいことにチャレンジする機会が自然と訪れますよ。

モノへの愛情が弱く、整理収納意識が高い

ミニマリスト

[整理収納意識]
高い

[モノへの愛情]
弱い

[生活]
機能性を重視

[家の状態]
「捨てる」「買わない」片づけ法の成功により、ホテルのようにモノが少ない

[得意とする片づけ法]
一気に短期間で捨てる／定期的に捨てる／一度片づけたら、二度とモノを増やさない

日々整理収納へ意識が向いていて、モノの少ない家に住むのがこのタイプの方です。「使うこと」を前提にモノを持ち、「暮らしやすさ」を最優先にされているので、部屋はいつでも機能的。家の中のモノの定位置はすべて決まり、使ったら元に戻すだけなので、気合いを入れて片づけやお掃除ををせずとも、整った部屋を維持できていることでしょう。

この本でさらなる高みを目指すには、定期的にモノの置き方を見直していきましょう。すでに部屋が整頓されていたとしても、「使いやすさ」を主軸に、改善をつづけましょう。

本書の「モノの背番号決め」および「定位置決め」を、重点的に読んでいただくことをおすすめします。（P120 P167 参照）

モノへの愛情が弱く、整理収納意識が低い

ゴミ館仙人

[整理収納意識]
低い

[モノへの愛情]
弱い。愛していない

[生活]
住んでいる家自体が嫌い／ここから逃げ出したい

[家の状態]
ゴミが多い／何がどこにあるかわからない／掃除ができない

[得意とする片づけ法]
片づけが得意ではないが、一気に捨てることを厭わない

「ゴミ館」と聞いても、落ち込む必要は全くありません。なぜなら、このタイプの方の家は、本気さえ出せば、短期間で見違えるように変わるからです。

心のどこかで「すべてゴミだから、いっそ全部なくなってしまってもかまわない」と思ってはいませんか? もしあなたがゴミ館に住んでいるならば、P118からのモノを整理するSTEPで、モノをどんどん仕分けして、「自分にとってのゴミ」を認定しましょう。「愛しているモノ」はたとえ数が膨大でも、人を不幸にはしませんが、「ゴミ」が多いと、人は不幸になります。まずは2時間、捨てられるだけ捨てれば、見える世界が少し変わります。

ただし、ゴミを取り除きはじめてしばらくすると、「モノへの愛」を思い出すことがあるかもしれません。そうしたら、その後はマイペースにその愛を見つめ直し、ゆっくり、じっくり片づけていきましょう。

モノが多い　部屋が狭い　時間がない

でも、捨てられない人の

捨てない片づけ

米田まりな　捨てない整理収納アドバイザー

はじめに

あなたは、片づけが好きですか？
あなたは、モノを捨てるのが得意ですか？

昨今、さまざまな片づけの方法がブームになっていることもあり、テレビや雑誌、本などで、あらゆるタイプの片づけ方を試すことができます。これまで何冊か、片づけに関する本を読んだことのある人も多いでしょう。

それらにおいて、王道とされるのが**「捨てる片づけ術」**です。

この「捨てる片づけ術」は、次の2つを前提としています。

- 自分の所有すべきモノの適正量は、家に収まる量である
- 自分にとってほんとうに必要なモノ以外は、手放すべきである

でも、ほんとうにそうでしょうか？

はじめまして。「捨てない整理収納アドバイザー」の米田まりなです。

現在私は、「所有のデータ化」をミッションとし、物欲刺激ＳＮＳ「Sumally」と収納サービス「サマリーポケット」を手がける株式会社サマリーにおいて、所有欲と住まいについてのリサーチと、データ分析に携わっています。と同時に、片づけに悩む方々をお手伝いする整理収納アドバイザーとしても活動しています。

日夜、モノと暮らしについての分析データと、片づけのリアルな悩みに向き合っていく中で強く感じたのが、所有欲には大きな個人差があるということです。

所有欲が強い方に共通するのが、「自分だけの、ユニークな人生を歩みたい」という意思を持ち、モノを人生を彩る仲間としてとらえ、その出会いを楽しみ、愛しているということです。

実際、所有に関する独自の調査を行った結果、「クリエイティブな人ほど、モノを多く持っている傾向がある」ということがわかっています。著名な芸術家やアーティストの自宅写真を見ても、決してミニマリストではなく、モノに対する偏愛がうかがえます。

この本を手に取ってくださっているあなたも、モノを愛する人なのではないでしょうか。日々を丁寧に過ごし、自分らしい生活を楽しんでいることでしょう。きっとご自宅には、ちょっと笑えたり、ちょっと泣けたり、手に取るだけで幸せになるような宝物が、たくさんあるのではないでしょうか。

そう、モノへの愛は、自分らしいユニークな人生をつくる源泉です。どうか、あなたがこれまで集めてきたそれらのモノを、人生の仲間として、愛し抜いてほしい。

そう強く願っているのですが、モノへの愛には、大きな壁が立ちはだかっています。

それは、**「私たちの住む現代の家は狭い」という問題**です。

住まいの地域差は、年々拡大しています。

イメージしていただければかんたんに想像がつくことと思いますが、じつは東京都の住宅面積の平均は、茨城県の平均住宅面積の3分の1もありません。

「片づかない部屋」は、自宅の収納量と、持っているモノの量の差によって生まれます。当然、物理的にモノの量が少なければ少ないほど、かんたんに片づくようになります。

つまり、都市部に住むモノを愛する方のほとんどが、「モノは捨てたくないけれど、快適な暮らしも送りたい」というジレンマに悩んでいることになります。

実際に私自身、モノを捨てることに人一倍抵抗があり、「捨てること」をすすめる片づけ本を読むたびに、暗い気持ちになっていました。

というのも、私は幼少期を茨城県、中高生時代を宮城県のモノがあふれる家で過ごし、「モノを愛する気持ちは、美しく豊かである」という価値観を持ち、生きてきたからです。

父の部屋には、山のような本と、世界中から集めた工芸品が置かれていました。分厚い専門書に囲まれて書斎に向かう父の姿には、いつも憧れと尊敬の念を抱いていたものです。母はモノづくりが得意で、さまざまなモノを自分で手づくりし、季節の行事や来客時には、いつも張りきって家中を飾りつけていました。

そんな実家は、確かにモノが多くて、いつも片づいているとは言い難いのですが、幸せにあふれていて居心地がよく、私や家族にとって唯一無二の空間でした。

このように、自分自身も含め、さまざまな人の、さまざまなモノへの愛のかたちや、現代人が直面する家の狭さに関するデータに触れる中で、「住まいを理由に、モノへの愛をあきらめないでほしい」という一心で、整理収納アドバイザー1級の資格をとり、「モノを愛してやまない人」を対象に、片づけのお手伝いをしてきました。

多くの趣味や偏愛を持つ方々の自宅を多く訪問し、モノへの愛を守りながらスッキリした部屋をつくる方法を模索しつづけています。

本書は、そういった経験から導き出した、**「モノを愛する方にお伝えしたい片づけの方法」をまとめたもの**です。

モノが多くても、家が狭くても、片づけが苦手でも、捨てられなくても、大丈夫です。「使用頻度」と「愛」を軸に、1つひとつのモノとじっくり真剣に向き合い、分類し、収納し、メンテナンスをしていきます。

また、私の提案する方法は、**「1日で部屋を片づけたい！」という人には、あまりおすすめできません。**

モノを「一気に捨てる」ことで、部屋は2〜3日でかんたんに片づいてしまいますが、この本では、じっくり、ゆっくり、モノに向き合いながら、一生ものの快適な住まいをつくりあげていくことを目指します。

くわしくは次のページの「捨てない片づけ」ロードマップをご覧ください。

STEP3 収納

収納＋出口検討

③「使うモノ」はハンディーゾーンに収納

・背番号に従って収納
・ルール順守

④「使わないけれど愛しているモノ」は、ハンディーゾーン以外の場所に保管する

・家の中のバックヤードに収納
・外部収納サービスを利用
➡どちらも「見える化」して管理

⑤「愛していないモノ」は捨てずに手放す

・ゆずる
・売る
・寄付
➡シェアリングエコノミーで出口戦略を立てる

STEP4 整頓

点検と棚卸し

①ハンディーゾーンは、毎週30分の点検・棚卸し作業

[5分]
定位置にモノが戻っているか「点検」
[25分]
定位置を見直す「棚卸し」

②家と外のバックヤードを四半期ごとに見直し、死蔵品化を防止

③リバウンドしたら、定位置を再検討し、自分のライフスタイルに合う仕組みをまわす

「捨てない片づけ」ロードマップ

STEP1 見積もり

全体の戦略立案

① 片づけるべきモノの「総量」を把握する

② 場所ではなく「モノ軸」で「片づけの順番」を決める

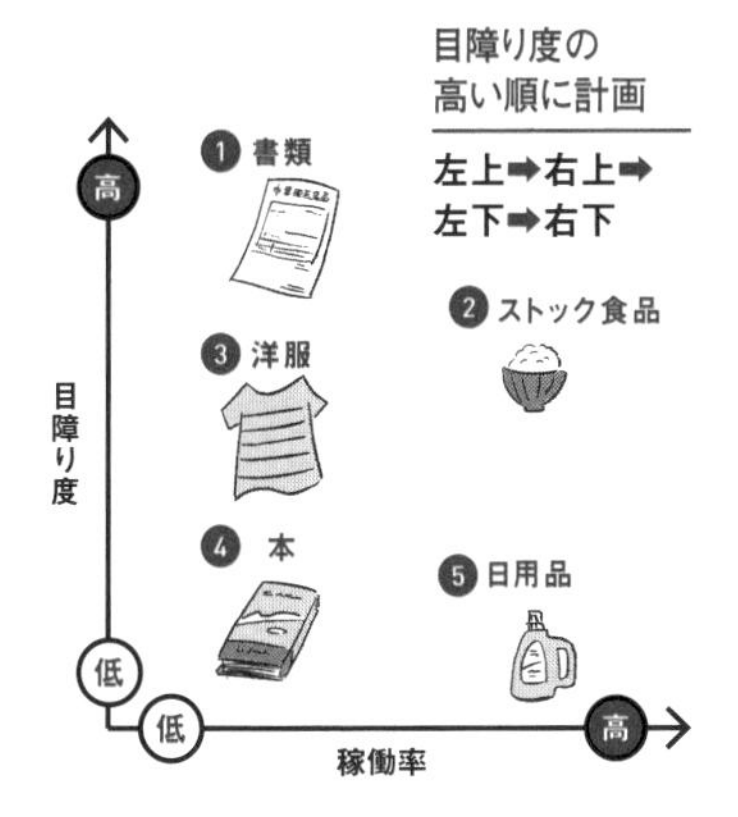

③ 100cm サイズの箱で片づけの所要時間を見積もる

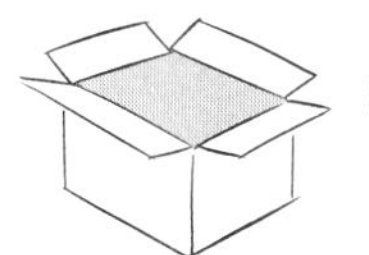

＝ 1箱あたりの所要時間30分

④ 確実に片づけが完了されるよう、締め切り日を設定し、スケジュールを組む

STEP2 整理

モノの分類

① 片づけの順番に従って、その日取り組むアイテムを、箱にポンポン入れていく

② 「使う・使わない」「愛している・愛していない」を軸に、箱からモノを1つずつ出していきながら、背番号をつけて分類する。
このとき、並べるだけで、捨てなくてOK

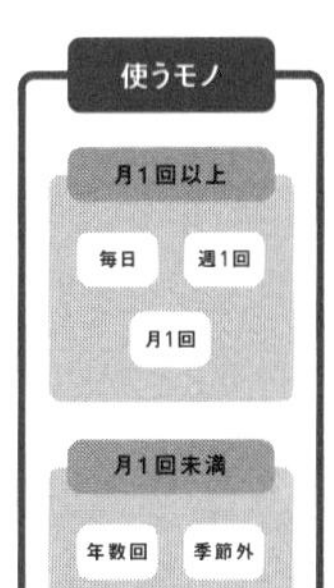

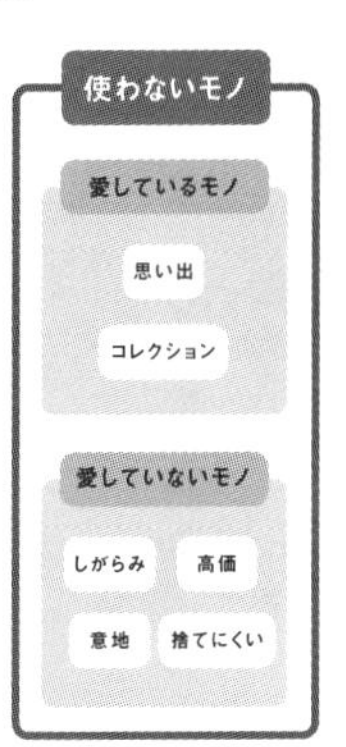

1日1セット3時間まで

4STEPで「捨てない片づけ」を進めよう

この本の最初に、全体の流れをお伝えします。前ページのロードマップ図を見ながら読み進めていただくとわかりやすいでしょう。

「片づけ」とは、整理・収納・整頓の3つの作業によって成り立ちます。

それぞれの目的は、次の3つです。

- 整理……1つひとつのモノを所有する意味を定義する
- 収納……モノを使いやすい状態に配置する
- 整頓……使い終わったモノを定位置に戻す

片づけを構成するこの3つについて、これから順にお伝えしていきますが、それに取りかかる前に重要なのが、STEP1の片づけの「見積もり」です。

見積もりとは、現在自分が所有しているモノの量や稼働率（どのくらいの頻度で使用されているか）から、片づけるべき対象や順番、所要時間、スケジュールを決める作業です。

さらにこの本では、**クローゼットやリビングなどといった収納場所や部屋ではなく、「本」「食器」「服」などといった「モノのカテゴリ」ごとに着目していきます。**

「本が集まる本棚」「服が集まるクローゼットやタンスの引き出し」「ペンが集まる日用品の引き出し」など、自分の気になっているモノの集まりを撮影し、その写真から、そのモノの量や稼働率を推しはかります。

モノの量を「箱」で換算することで、「片づける順番」と「片づけにかかる時間」を見積もり、スケジュールを立てていきます。

見積もりによって、この先の片づけがうまくいくかどうかが決まると言っても過言ではありません。

見積もりができたところで、いよいよSTEP2「整理」のスタート。

整理では、片づけるモノをすべて一度箱に詰めてから、モノと1つひとつ向き合い、最終的にモノをすべて出す作業を行います。

大きくは、「使う・使わない」「愛している・愛していない」の軸で、そのモノを所有している意味を考え、分類しながら、背番号をつけて「整理」します。

整理を終えたら、STEP3「収納」です。

この本では、ひとつのモノカテゴリごとに、1箱ずつ、一気に整理と収納を行います。

収納とは、どう配置すればそのモノの価値が最大限活かされるかを考え、**定位置を決める**作業です。

なお、定位置は、整理でつけた「背番号」をもとに、使用頻度に沿って決めていきます。

収納は、「奥にしまって、美しく隠す」ことではありません。

必要なモノを奥にしまいこんだおしゃれな部屋より、頻繁に使うモノが心地よく取り出せる部屋のほうが、「よく片づいている」のです。

使用頻度や特定の条件、モノへの愛などによって誰もが悩む「収納に収まりきらないモノ」を、どのようにとらえ、管理していくかについても提案します。

このSTEPでは、モノの定位置が決まり、収まっている状態がゴールです。

最後のSTEP4「整頓」の作業は、一度で完結するものではなく、日常生活でずっとつづいていく、いわば習慣やルーティンにすべきものです。

「使ったら元の場所に戻す」「週末に散らかった部屋を元に戻す」などというふうに、その都度モノを「定位置」に戻していきます。

とはいえ、この「整頓」作業がうまくまわらなければ、家はまた散らかっていきます。

そこで、持続可能な整頓の仕組みと、うまくいかずリバウンドしてしまったときの対処法についても紹介します。

もし「私って捨てられない、片づけられない……」と悩んでいても、大丈夫。

たんに、あなたはミニマリストに向いていなかったのではないでしょうか。

私もそうでした。

なぜなら、モノを愛しているから。

さあ、モノを愛するあなたにマッチした、あなたらしい片づけを、一緒にはじめていきましょう！

モノが多い　部屋が狭い　時間がない
でも、捨てられない人の　捨てない片づけ　もくじ

あなたはどの「片づけ」タイプ？

PART 1 なぜ、私たちの家は片づかないのか

PART 2 さあ、片づけをはじめよう

STEP 1 「捨てない片づけ」―― 見積もりとスケジューリング

STEP 3 「収納」——定位置を決めて収める

PART 3 片づいた部屋をラクに維持しよう

PART

1

なぜ、
私たちの家は
片づかないのか

ほとんどの人が片づけたいのにがんばれない

突然ですが、あなたは、家を片づけることが好きですか？

「やらなきゃとは思うものの、全然やる気が出ない」

「片づけ本を買ったけれど、全然モノを捨てられず、挫折してしまった」

こんな経験から、「自分は片づけができない、ダメな人間だ」というふうに落ち込んでしまっている人もいるかもしれませんね。


左ページは、２０１９年９月に株式会社サマリーで行った「片づけ意識に関する独自調査（関東在住の６００人対象）」における、３つの質問に対する返答率を表したグラフです。

みんな「片づけられない」ことに罪悪感を感じている

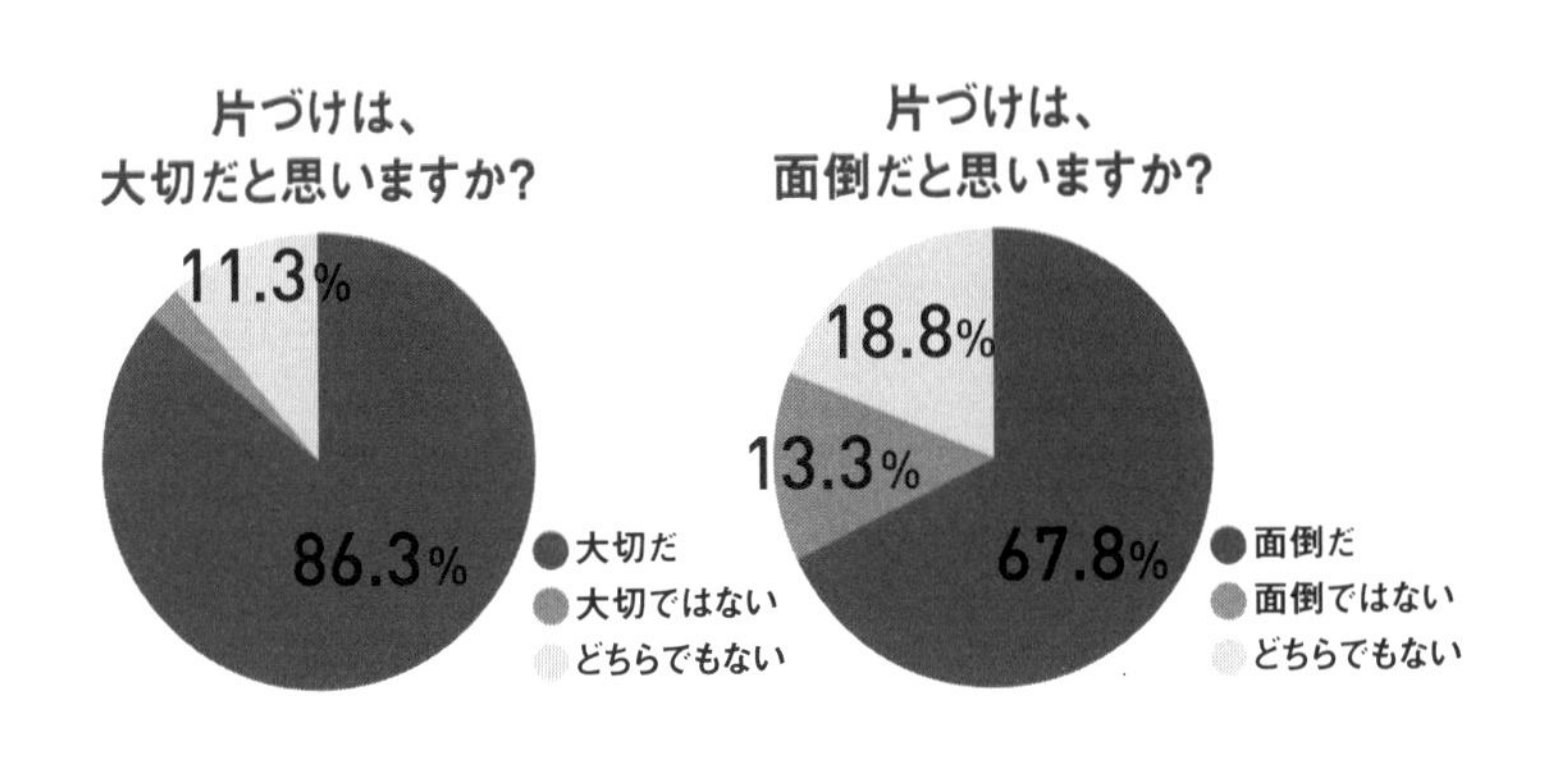

もっと片づけをしたほうがよいと思いますか？

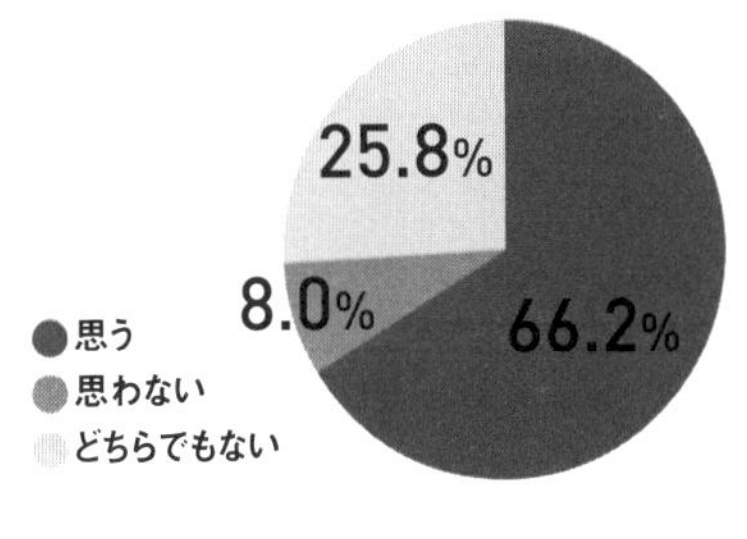

「片づけ意識に関する調査」2019.9 株式会社サマリー

これを見ると、**ラクに片づけられる人間のほうが、めずらしい**ということが、よくわかります。このグラフは、**「約9割の人が『片づけは大切だ』と感じているものの、約7割の人は『片づけが面倒だ』と感じ、結果として約7割の人が『もっと片づけなきゃ』という罪悪感を持っている」**ということを示しています。

つまり、**「片づけたいのに、片づけられない」という悩みは、いたってふつうのこと**なのです。

「重要かつ自分のすべきことができていない状況」は、人に罪悪感や苛立ちを感じさせます。どうでもいいことなら、できていなくとも、なんとも思わないものです。

これは、仕事やプライベートなど、何事にもあてはまるでしょう。「やらなければならないことが、漫然と頭を占有しつづけている……。これこそが時間とエネルギーをもっとも消費しているものの正体だ」というケリー・グリーソンの言葉がありますが、片づいていない部屋を見るたびに、潜在意識の中で、エネルギーが消費されつづけています。

そのため、この本で最初にしていただきたいことは、**「片づけられない自分を許すこと」**です。そうすることで、罪悪感から解き放たれ、自分の中にあるエネルギーを、真っすぐに片づけに向かわせることができるのです。

2
片づかない理由

心地よいと感じる部屋の中の「モノの量」は、人によって異なる

P26の調査で「片づけは大切だ」と思っている人は、9割でしたね。

では、部屋を片づけるメリットとは、一体なんでしょうか。次に挙げる3点は、これまで提唱されてきた片づけの方法において、よくいわれるメリットです。

①時間的メリット→探しものがなくなる・家事効率が上がる
②経済的メリット→無駄な買いものがなくなる・破棄するモノが減る
③精神的メリット→気分がよくなる・人との交流が活性化され、物事がうまくいく

この3つの中で、①②は、おおむねすべての人にあてはまるメリットです。片づけるこ

とで、自分個人の時間や経済効率が上がるだけでなく、たとえば、一緒に暮らす家族と家事や買いものなどの作業を分担しやすくなります。

一方で、③の精神的メリットは、じつは個人差が大きいのです。

それは、**人によって、心地よいと感じる部屋の状態に差があるから。**

たとえば職場のデスクも、まったくモノがないほうが集中できる人と、適度にモノが散らばっているほうが落ち着く人と、個人差がありますよね。

もちろん、ゴミが多かったり、作業に支障が出るほどモノがある状態は、誰もが不快に感じますが、モノへの愛着の深さによって、「心地よく感じる空間」は、人それぞれです。

これについて深掘りした興味深い研究があります。

「居住空間の散らかり度合いとストレスの関係についての研究」（2018年、東京大学大学院新領域創成科学研究科　千葉大樹・二瓶美里・鎌田実）では、若年健常者9名を対象に、「散らかった部屋」と「整理された部屋」に入れたうえで、唾液アミラーゼ選定によりストレス度合いを測定しています。部屋の散らかり具合は5段階用意され、部屋の滞在時間はそれぞれ25分間です。

この研究結果の大きな傾向として、**「散らかり具合が大きいほど、生理的ストレス反応が大きくなる」**ということがわかりました。この結論には、みなさん納得ですよね。たくさんのモノが視界に入ると、たった25分間の滞在でも、ストレス値が増えていきます。

ただし、面白いポイントとしては、ストレスを感じる閾値（しきいち）に、かなりの個人差があることです。

モノの量が少しでも増えると、一気にストレスを感じる敏感な人もいれば、部屋がモノであふれるまでストレスを感じない人もいました。

また、モノが少なすぎると、むしろストレス値が上がるという人もいました。

つまり、よく聞く「ちょっとくらい散らかっているほうが落ち着く」という感覚表現は、科学的にも証明されているということです。

この研究結果からも、**全員が全員、部屋のモノを極度に減らして暮らす、いわゆる「ミニマリスト」になる必要はない、むしろなれないということがわかりますよね。**

自分にとって落ち着くモノの適量と部屋のあり方を見つけて、「自分がしたい暮らし」を目指していきたいのですが、そのちょうどよいラインの探し方が、じつは、とても難しい……。この課題こそ、自分に合う片づけの方法がなかなか見つからず、片づけはじめては挫折をくり返す原因になるのです。

人によってストレスと感じる「モノの量」は異なる

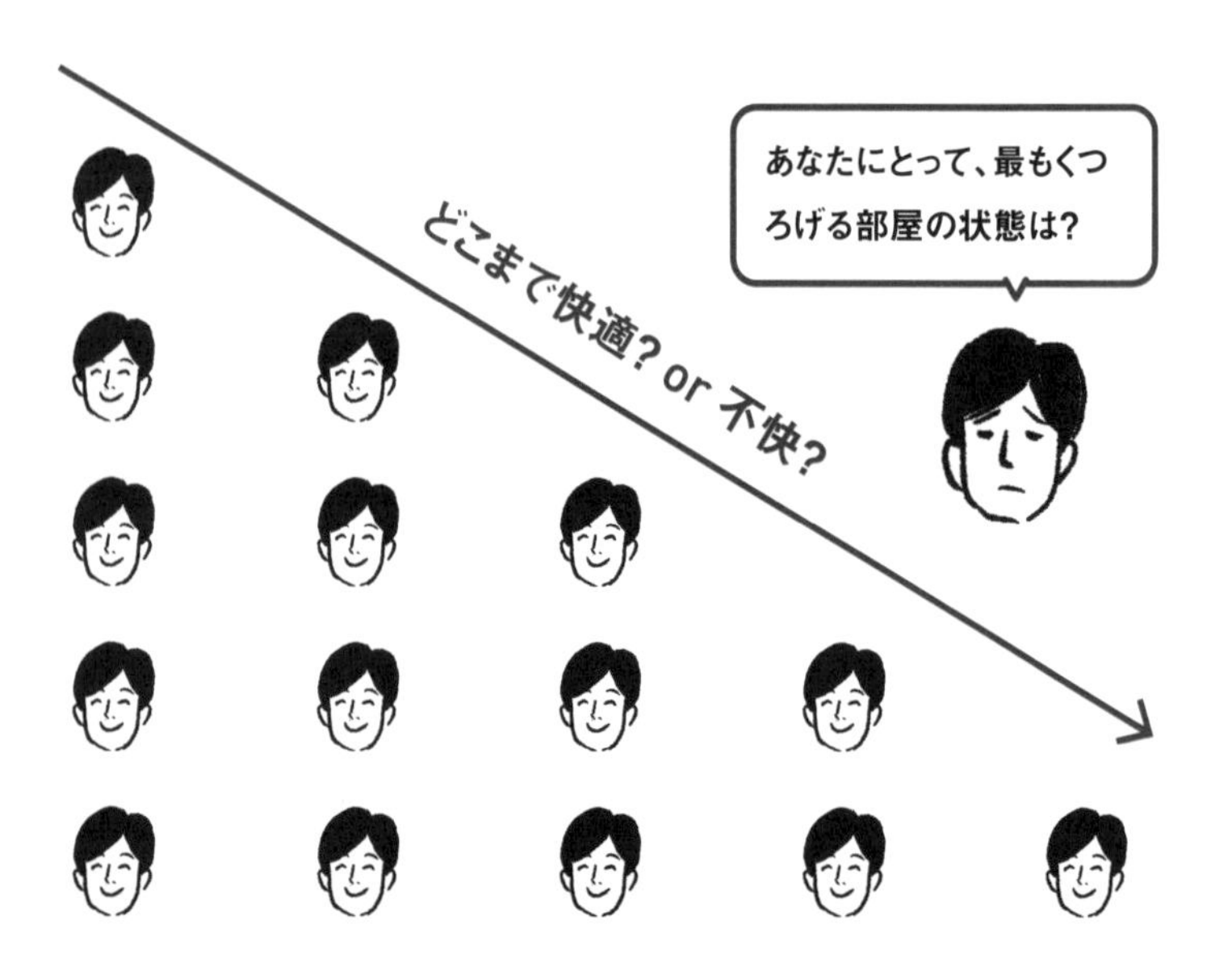

「居住空間の散らかり度合いとストレスの関係についての研究」参照

3
片づかない理由

「片づけ力＝人間力」ではない！家の広さを上回る「モノへの愛」

いま、巷には非常に多くの片づけの方法があります。片づけ本も、それこそ山のように出ていますし、片づけセミナーもたくさん行われています。

そういった本を読んだり、セミナーに参加されたりしていても、片づけがうまくいかなかったのだとしたら……。**それはシンプルに、「モノへの愛情が、住んでいる家の面積を上回っていたから」ではないでしょうか。**

「ほんとうにいるモノ・いらないモノを精査すれば、家の収納スペースにすべてのモノが収まります。あなたが所有すべきモノの適正量は、家に収まりきる量です」という言葉を、片づけ本の中で聞いたことがあるかもしれません。

これは、「自分の持ちものを厳選して、不要なモノを処分し、収納にうまく収まったら成功」という方法。もしうまく収まらなかったら、さらにモノを捨てて、すべて収まるまで繰り返すのです。

それに加えて、「片づけ力＝精神力」であるというメッセージや風潮もあります。「部屋の乱れは心の乱れ、捨てられないのは心に迷いやしがらみがあるから」というように、「片づけられない人は、優柔不断で、心が整っていないのだ」とまで断言する本もあります。

そんなこともあってか、自分の所有物が部屋に収まらないのを見て、「自分は片づけられないダメな人間なんだ……」と落ち込む人もいるかもしれません。

たしかに、そういったメッセージに思いあたる人もいるかもしれませんし、P58で後述しますが、部屋をミニマルに保つことによるすばらしい効果があることも事実です。

しかし、家の広さは地域差や年代差が大きいですし、趣味や所有欲も人それぞれ。

私としては、**「家に収める力＝片づけ力（＝人間力）」とは、どうしても思えません。**

そこで、住まいとモノに関するいくつかの統計データを見ながら、これについて考えていきましょう。

都市部と地方の住宅面積は、こんなに違う！

P37の上のグラフは、「統計でみる都道府県のすがた2019（総務省統計局）」より引用した都道府県別の平均住宅敷地面積です。

これを見ていただくと、日本国内の地域によって、いかに家の広さに差があるかということに、驚きませんか？

このグラフから、**敷地面積が一番広いのは茨城県で、1住宅あたりの平均敷地面積は425㎡。一方で、東京都は1住宅あたりの平均は140㎡と、なんと茨城県の3分の1以下の面積**だということがわかります。

これは東京都の郊外部も含めた平均値なので、東京23区内の住宅に住む人は、さらに狭い面積に住んでいるといえるでしょう。

また、「同じ家賃でも、東京では広い家に住めない……」という声を、よく聞きませんか？　実際、私自身も実感しています。同じ統計資料から、1坪（3・3㎡／2・2畳）あたりの平均家賃を都道府県別に比較したものがP37の下のグラフです。

このグラフから、**東京都の家賃が飛び抜けて高い**ことがわかります。

東京都の住宅の家賃は1坪あたり8500円が平均であるのに対し、山口県は3500円。じつに2・5倍もの差があります。

転職サービスのdoda調べ（2018年）によると、東京都と山口県の賃金格差は1・2倍差で、わずかに東京都のほうが高いのですが、同程度の賃金の人が住める家の広さには、東京都と地方都市間で大きな差があることがわかります。

つづいて、同じ家賃14・5万円で住むことができる東京都と茨城県の住宅の「間取り」を比べてみましょう。P39をご覧ください。

東京都と茨城県とでは、たとえ同じ住人数であったとしても、使える部屋が倍以上違いますよね。東京都の家にあるモノを、引っ越しなどで茨城県の家に移し、管理するなら、とたんに片づけの難易度が下がると思いませんか？

都市部と地方部の家の広さと所有欲の関係を考えるうえでも参考になるので、ここで私自身が住んできたこれまでの家の変遷をお話しします。

私は幼少期を、茨城県の一戸建て住宅で過ごしました。3階建てで屋根裏部屋があり、

都市部と地方では住宅事情に天と地の差がある

都道府県別 住宅の平均敷地面積（1住宅あたり）

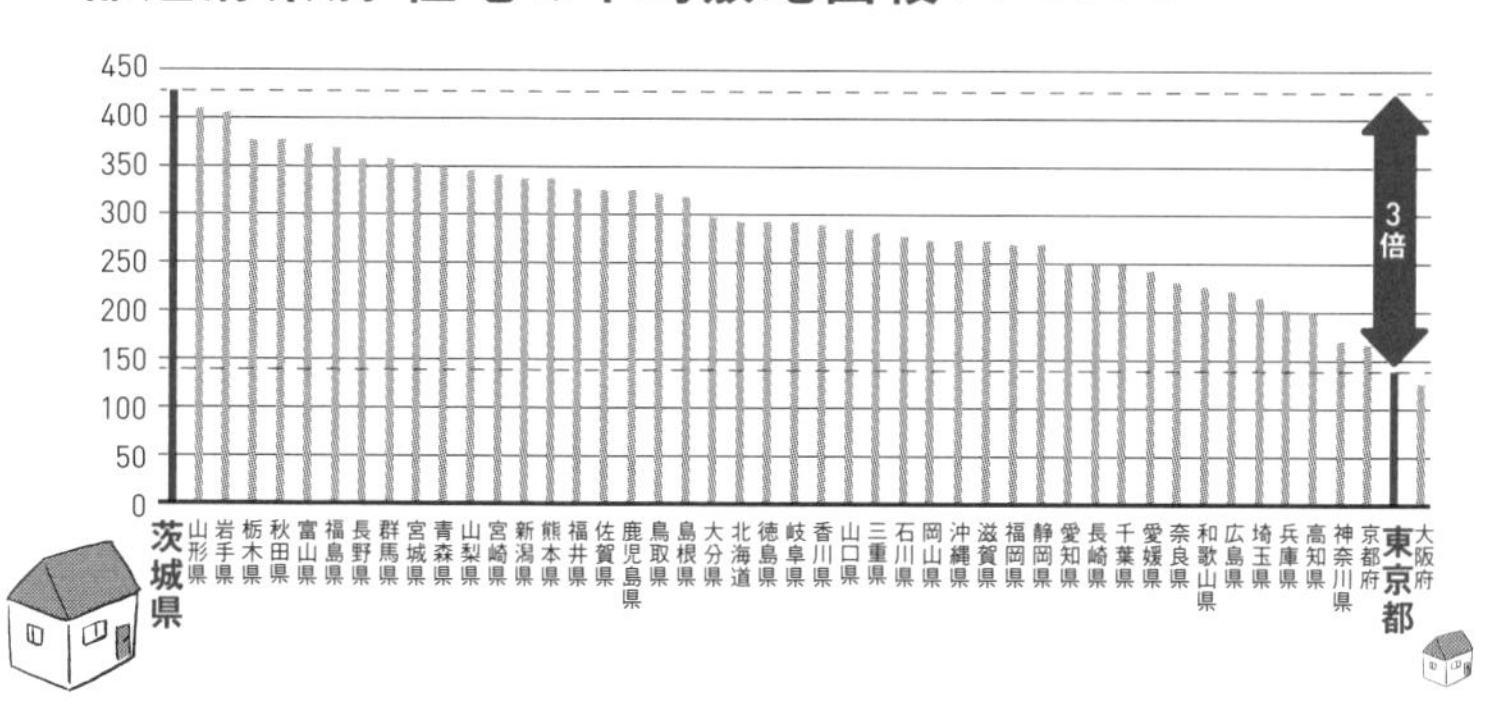

都道府県別 賃貸住宅の平均家賃（1カ月3.3m²あたり）

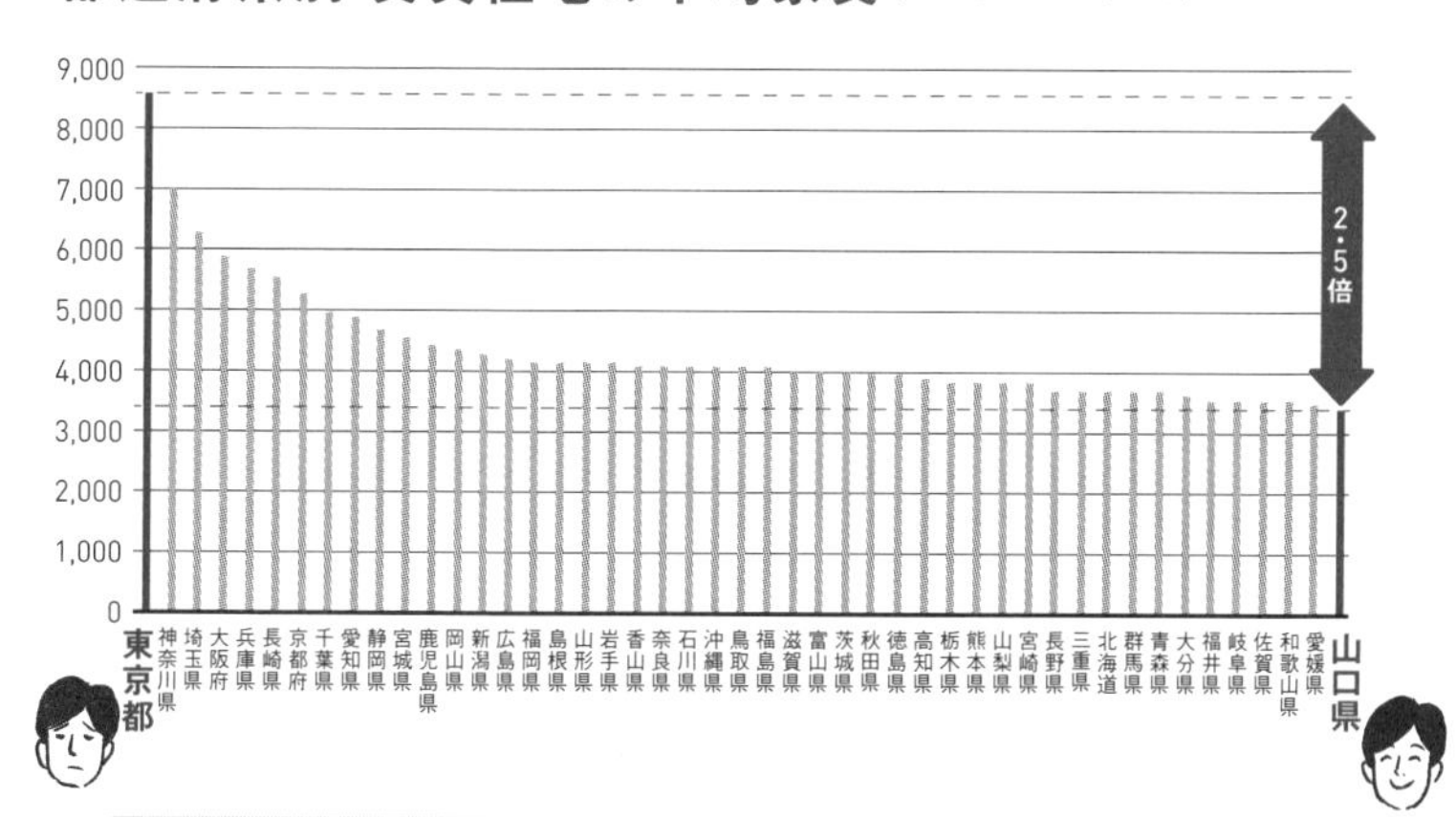

都市部の住居は「狭くて、家賃が高い」

「統計でみる都道府県のすがた2019」（総務省統計局）参照

収納量は十分。最寄りのコンビニまで歩いて20分かかりましたが、大きな公園が目の前にあり、緑が豊かでとても素敵な場所にありました。

中高生時代は宮城県に引っ越しし、４ＬＤＫのマンションで過ごしました。コンビニまで徒歩1分と便利なエリアでしたが、茨城県に比べて居住面積はだいぶ狭くなってしまいました。そのため、前の家から持ってきたモノの収納にやや困っていましたが、母が一生懸命片づけていたことで、なんとかモノの管理ができている状態でした。

そして、大学進学とともに東京に上京し、吉祥寺駅から徒歩8分ほどのワンルームマンションで一人暮らしをはじめました。しかし、居住スペースの広さは、わずか6畳。キッチンは玄関とほぼ一体で、収納スペースといえば、2段の小ぶりな靴箱と、90㎝幅のクローゼットがあるのみでした。憧れの大都市での生活に胸が躍ってはいたのですが、いざ家に帰ると、茨城県で住んでいた一戸建ての屋根裏部屋ほどの広さしかない部屋に、息苦しくなることがありました。

大学卒業後の就職に伴い、今度は社員寮に引っ越しました。最寄り駅からバスで10分と、吉祥寺よりは不便になりましたが、居住スペースは広く、建物内にトランクルームもあり、吉祥寺の家と比べて収納量は2倍ほどに。

東京都の家VS茨城県の家
収納に大きな差がある!?

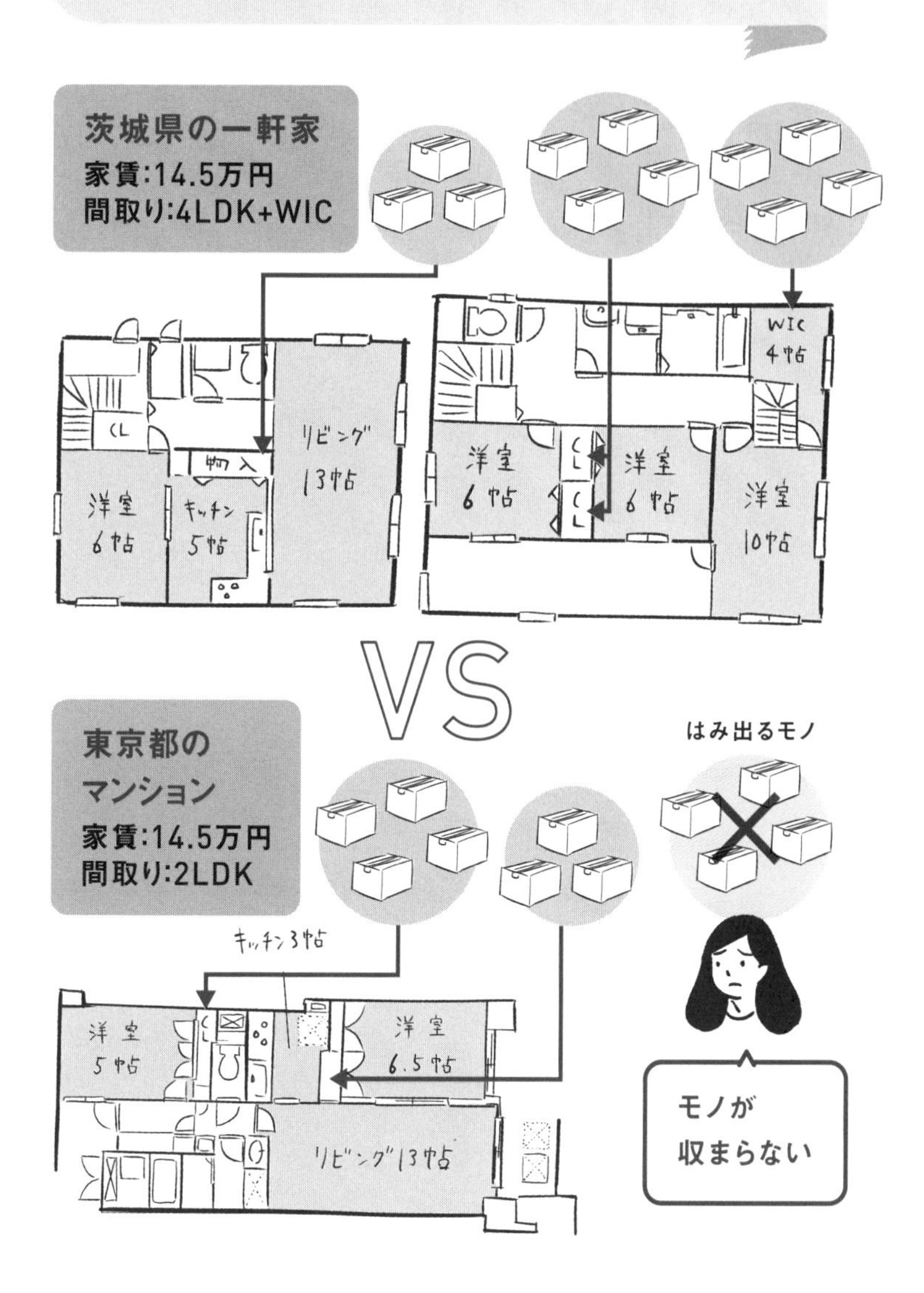

現在は社員寮を出て、都市部の駅まで徒歩8分のマンションに住んでいます。収納量は吉祥寺の家と社員寮の中間くらいです。

このように、ライフスタイルに合わせ、私の家は数倍の範囲で、狭くなったり、広くなったりしてきました。

私が茨城県の一戸建てと吉祥寺のワンルームマンションとで実際に体感したギャップは、P37の統計データと大きな乖離はありません。

理論上、茨城県民は、東京都民の3倍近くモノを多く持っていても、「すべてのモノが家に入りきる状態」を実現できます。

「家にモノを収める」という片づけ行為を、茨城県で行うことと、吉祥寺で行うことの難しさを比べると、もはや住居という「概念」そのものが異なるくらい、ケタ違いです。

では、**自分の持っているモノに対する気持ちが、居住スペースの振れ幅と同じように変動したかというと、まったくそんなことはありません。**

あたり前ですが、茨城県の一戸建てに住んでいた私が、吉祥寺のワンルームマンションに引っ越しても、所有欲は3分の1にはなりません。

実際に、家の広さと所有欲には相関関係はないことが、2019年9月、東京都在住者300人と北関東在住者（茨城県・群馬県・栃木県）300人に対して行った「モノへの愛着と整理収納」に関する独自のアンケート調査でわかっています。この調査では「モノへの愛着」が強い人・弱い人を、モノに対する10の質問で判別していきました。

モノへの愛着が強い人は、東京都在住者で47％、北関東で54％と、やや地方在住者のほうが愛着は強く出ましたが、家の広さの差と比較すると、ほとんど地域差がないという結果でした。つまり、「東京都民には所有欲がなくて、茨城県民は東京都民の3倍も所有欲がある」ということはありません。

ただ、たいていの片づけ本の方法は、家の広さや住むエリア関係なく、全国統一版です。「モノが家に入りきったら片づけ上手で、モノが家からあふれたあなたは片づけ下手。精神力が足りないのでもっとがんばりなさい」と語りかけてきます。

住んでいるエリアや家の広さによって不公平な事実がありながら、同じものさしで「片づけできる・できない」と一括して考えてしまうと、なかなか納得しづらいものがあります。

5年前に比べて、都市部ではどんどん家が狭くなっている

都市部近郊に住んでいる人にとっては、さらに課題があります。

次のページの上のグラフは、首都圏のマンションの平均住宅面積と坪単価の推移を表したものです。

ここからわかるのは、**「首都圏の部屋は、どんどん狭くなっている」**ということです。

黒い折れ線グラフで示しているのが坪単価で、2006年からじわじわと上昇しています。そして、青い折れ線グラフで示しているのが専有面積で、坪単価の上昇に反比例するように、年々狭くなっています。

このように、地価は上がるものの、日本の所得水準は横ばいなので、同じ家賃を維持するためには、部屋を狭くせざるを得ないという状況になっているのです。

東京カンテイ（https://www.kantei.ne.jp/）によると、住宅狭小化の傾向は首都圏だけでなく、中部・近畿圏でも共通しています。

この背景として、「共働き世帯の増加」と「職住近郊化」により、超好立地のマンションに住む人が30代を中心に増えていることがあります。

都市部では
年々家が狭くなっている

都内23区 平均面積・坪単価推移

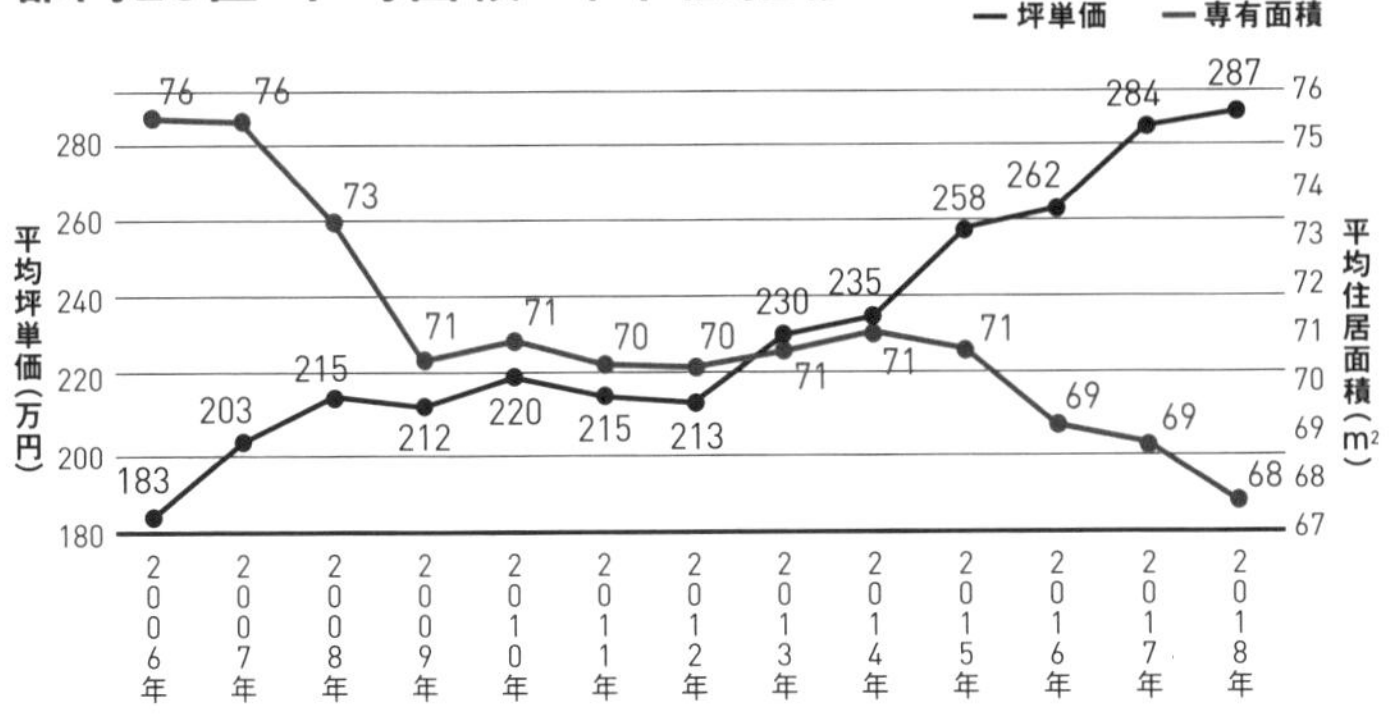

不動産総合情報誌『CRI』2018年12月号 参照

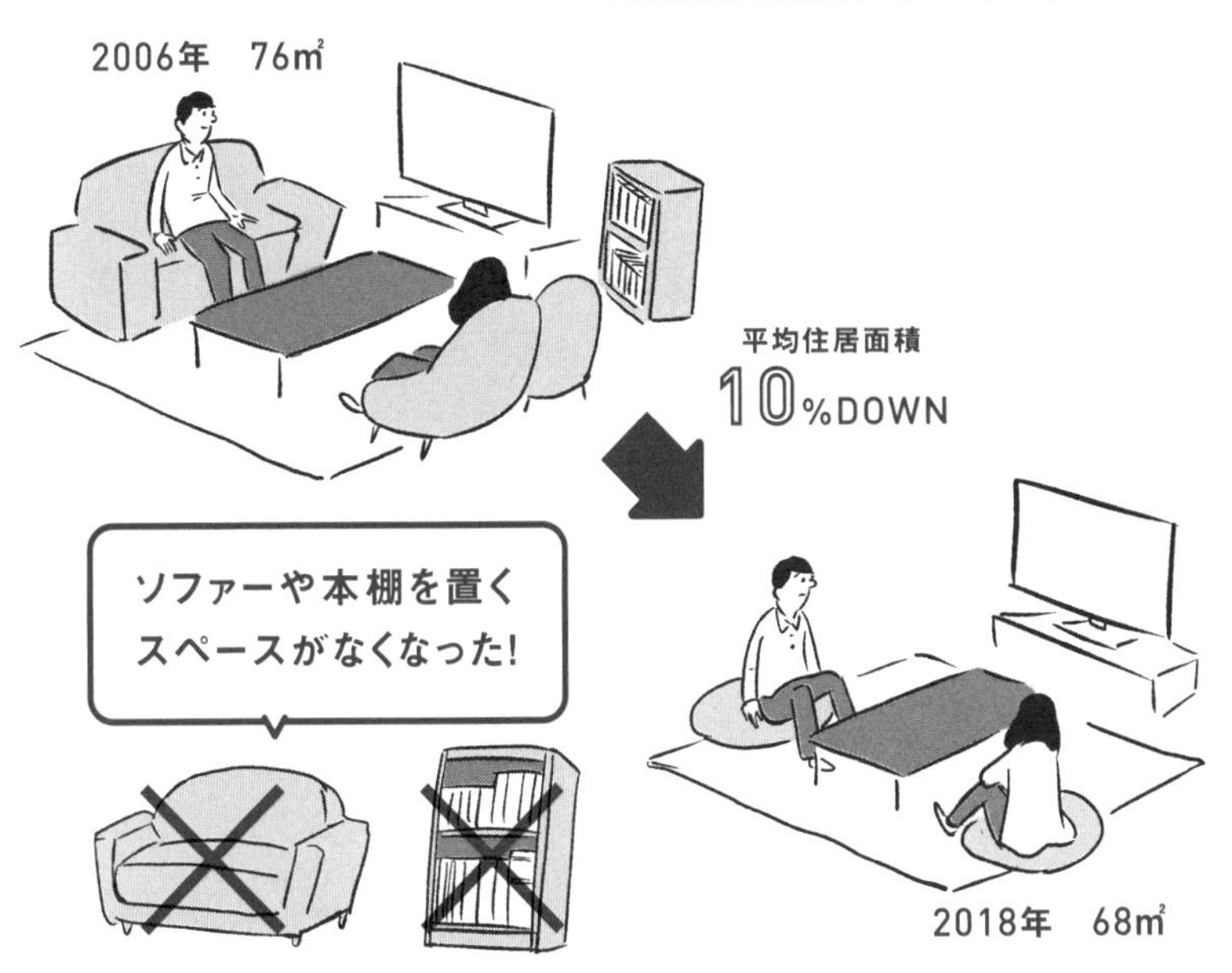

引っ越しのときに経験があるかと思いますが、**「立地」と「広さ」はトレードオフの関係**。同じ家賃で、立地を選べば家が狭くなり、広さを選べば立地を妥協せざるを得ない。その結果、入居後に「収納スペースが足りない」と後悔する方が非常に多いのです。

また、不動産会社側のトレンドでも、少し前には「ウォークインクローゼット付き物件」が流行し、収納充実を謳ったマンションが多く販売されていました。しかし、近年は収納スペースを少なくし、少しでも居住スペースを広げるような間取りが人気になっているそうです。収納をまったく備えない「デザイナーズマンション」も、流行しています。

不動産会社の方からも「最近は、ほんとうに収納スペースを削らざるを得ない。居住者の方からは不満も出ているのですが……」という声をよく聞きます。

つまり、**首都圏や都市部に住んでいる人は「ふつうに生活していたら、片づかなくて当然の条件下に住んでいる」**ということです。

ですから、片づけができないとため息をつく前に、一度家全体を見渡してみましょう。シンプルに、家が狭いということ。その部屋に、モノが収まらないということ。かといって、その家の広さに合わせて、モノをたくさん捨てることには、抵抗を感じているということ。それを認めるところから、スタートしていきましょう。

ほぼ同じ立地と間取りなのに、ウォークインクローゼットの有無で、家賃が10万円ほども変わる

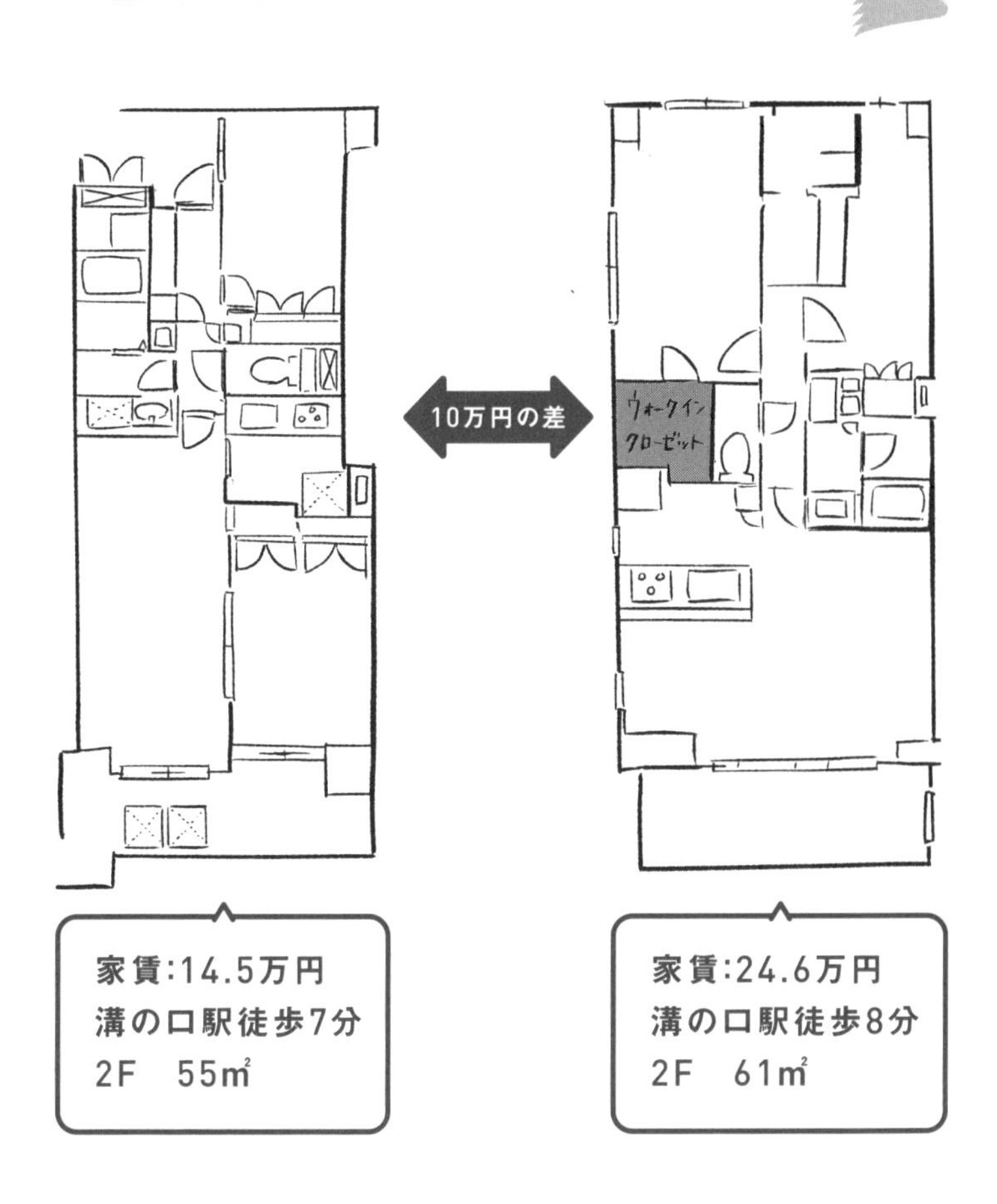

4
片づかない理由

自分らしく、クリエイティブな人生を送る人は、「モノ持ち」である

「人がモノを持つ理由」について、私はここ数年間、取材をつづけてきました。

モノへの愛着が強い方とそうでない方によって、自分の所有するモノに対する表現は、大きく異なります。

モノへの愛着がそんなにない方は、シンプルに、「使うから」という理由で、モノを所有します。それを語る姿はじつにサバサバとしていて、気持ちがいいほどです。

一方で、モノへの愛着が強い方に、モノを所有している理由を聞くと、そのモノに対するエピソードが、山のように出てきます。

そして、モノを愛する方の部屋の片づけは、そうでない方の部屋と比べて、とても時間がかかり、スムーズには進みません。またモノに対する気持ちも、第三者からは推測がつ

かず、矛盾を感じる瞬間もあります。

ただその分、そういった方の家はエネルギーに満ちていて、「その人らしさ」が、モノを通じてギュッと凝縮されて伝わってくるものです。

こうした経緯から**「モノを愛する方の多くは、自分らしく、クリエイティブな生活や人生を追い求め、楽しみたいという欲求を持っているのではないか」**という仮説が、私の中に浮かんできたのでした。

ここでいう「クリエイティブ性」とは、偉大なアーティストやデザイナー、建築家などの職業に就いたり、目指していたりする方を指しているわけではありません。

モノも、人との付き合いも、仕事も、自分の目標や生活などの人生そのものについても、どこかユニークで自分らしくありたいと考えている人すべてに、クリエイティブ性が宿っていると考えています。

さて、実際に先述の仮説を検証すべく、まず「自分らしさ」や「クリエイティブかどうか」に重きをおいて生きている人を、独自の調査によって、1都3県の300人の中から146人抽出しました。この方々を、「クリエイティブなグループ」としました。

そのうえで、このクリエイティブなグループが、モノに対してどのような思考を持っているのか、モノにまつわることで、クリエイティブ性と何か相関関係が存在するのかどうか、アンケート調査で調べました。

すると、彼らはやはり仮説通り、モノに対して強い愛着を持っているという結果が出ました。

まず「集めているモノ」「こだわっているモノ」についてアンケートをとったところ、彼らは家族との思い出の品や趣味のコレクション品、洋服、ガジェットなどのアイテムを多く集めていることがわかりました。

また、「両親のモノへの愛着は強いですか？ 弱いですか？」「幼少期に育った実家はモノが多いですか？ 少ないですか？」という質問をした結果、**彼らの両親は一様に「モノへの愛着は強く」、彼らの実家の多くは「モノが多い」**ということがわかりました。

したがって、このかんたんな調査から、幼少期の環境要因かはわかりませんが、モノへの愛着は、親から子へと受け継がれる可能性のあることがわかりました。

さらに同調査内で、「自分が集めているモノ・こだわっているモノ」と「親が集めていたモノ・こだわっていたモノ」のカテゴリを選んでもらうアンケートをとったところ、これらはおおむね一致しました。

親から子へと「モノへの愛」はつづいていく

Q 実家はモノが多いですか?

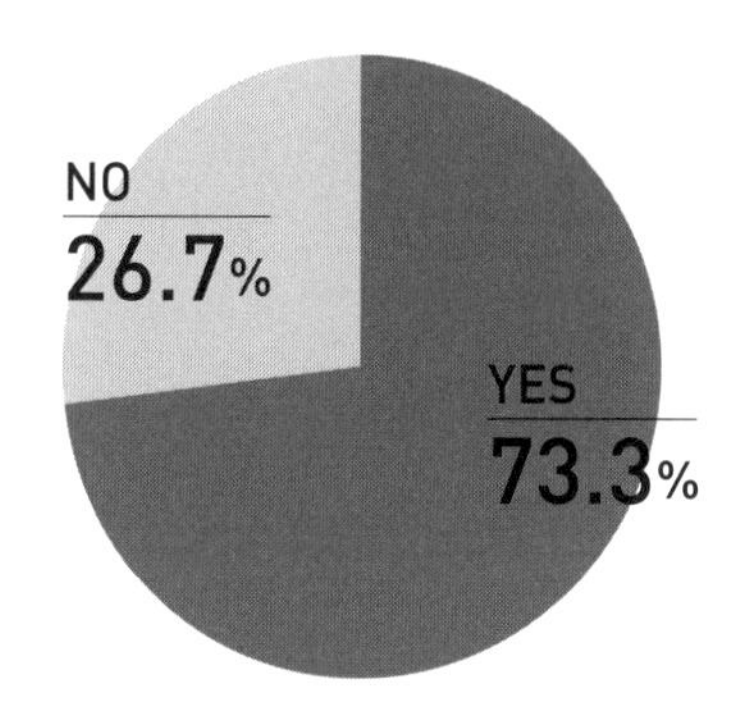

親と子で一致! 愛するモノランキング

[1位] 趣味のコレクション品
[2位] CD・DVD
[3位] 洋服
[4位] 時計・アクセサリー
[5位] 本・雑誌・マンガ

「モノへの愛」は、子どもや孫にも引き継がれ、
その人生を豊かにする。

つまり、**親が集めていたモノを、子どもも集めていることが多い**ということです。とくに相関性が強かったのは「趣味のコレクション品」で、親がコレクターの場合、子どももコレクターになりやすいということになります。

最後に、このアンケート調査の自由回答で、親に影響を受けたモノについて書いてもらったところ、さまざまなエピソードが挙げられました。

- 画材や画集が家に多くあり、その影響でイラストの仕事に就いた
- 赤川次郎の本がたくさんあり、よく読んでいたので読書好きになった
- 親がキャンプ好きで、アウトドア用品をたくさん持っており、その影響で、現在自分もアウトドア用品を買い集めている
- 昔から幼少期のアルバムが何冊もあったので、自然と自分も家族の記録を撮りためていくのが好きになった
- 両親が音楽好きで、素晴らしいプレイヤーやスピーカーで日常的に音楽を聴いていた。そのおかげで私も音楽好きになり、音響機器にはうるさい

いま、「モノが多すぎて、捨てることもできず、片づける気力もない」と嘆いている方

も、いるかもしれません。

そんな方に、いまこそ、自分に聞いてほしいのです。


あなたが、おじいさまやおばあさま、お父さまやお母さまから影響を受けているモノは、ありませんか？

意識的にも、無意識的にも、愛着を感じているモノは、ありませんか？


モノへの愛は、クリエイティブに生きることの源泉となり、自分が自分であることの証明ともいえます。


そして、自分のその思いが、子どもや孫にもモノを通じて引き継がれ、彼らの人生も豊かになる……モノを所有することは、このような素晴らしい効果があります。

「いまの家にモノが収まらない！」という事象だけをとらえて、どうか罪悪感を感じないでください。

自分の宝物を認め、それとともに生きる人生を基本に据えながら、どう片づけて、どう快適に暮らしていけばいいか、一緒に考えていきませんか？

5
片づかない理由

タイプによって片づけの「課題」が異なる

この本の最初にチャレンジしていただいた「片づけタイプ診断」において、片づけの傾向は、次のように「整理収納意識」と「モノへの愛情」の2軸で、4タイプに分けることができるとお伝えしました。これは、1都3県の600人に行った独自の診断調査をもとにしています。（くわしい診断方法は、本書巻頭P1〜7をご覧ください）。

- 秘密基地住人タイプ　モノへの愛情が強く、整理収納意識が低い方
- カリスマ収納職人タイプ　モノへの愛情が強く、整理収納意識が高い方
- ミニマリストタイプ　モノへの愛情が弱く、整理収納意識が高い方
- ゴミ館仙人タイプ　モノへの愛情が弱く、整理収納意識が低い方

整理収納意識×モノへの愛情で あなたのタイプがわかる！

モノへの愛情

高

カリスマ収納職人

[整理収納意識]高い
[モノへの愛情]強い／モノが多い
[生活]スッキリ暮らしたい
[家の状態]モノは多いけれど、上手に収納されている
[得意とする片づけ法]さまざまな収納テクニックやグッズを駆使／毎日片づける

秘密基地住人

[整理収納意識]低い
[モノへの愛情]強い／モノが多い
[生活]モノへの愛を重視したこだわりの空間
[家の状態]モノが散らかりがち／探しものがすぐに見つからない／掃除が隅々まで行き届かない／人を招きづらい
[得意とする片づけ法]そもそも片づけが得意ではない／途中で挫折しやすい

整理収納意識

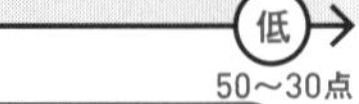

ミニマリスト

[整理収納意識]高い
[モノへの愛情]弱い
[生活]機能性を重視
[家の状態]捨てる、買わないの片づけ法成功により、ホテルのようにモノが少ない
[得意とする片づけ法]一気に短期間で捨てる／定期的に捨てる／一度片づけたら、二度とモノを増やさない

ゴミ館仙人

[整理収納意識]低い
[モノへの愛情]弱く、愛していない
[生活]住んでいる部屋自体が嫌い／ここから逃げ出したい
[家の状態]ゴミが多い／何がどこにあるかわからない／掃除ができない
[得意とする片づけ法]片づけが得意ではないが、一気に捨てることを厭わない

低

32〜0点

一般的な片づけの方法に、挫折しやすい人がいる

4つのタイプごとに、モノへの愛情や収納に対する意識は異なりますから、当然それぞれにとって最適な片づけ方も異なります。

それについて、さらにくわしく探るために、次の一般的な4つの片づけの方法に対する経験と印象について関東在住300人に対し独自のアンケート調査を行いました。

片づけ法① **5秒で捨てる**……モノを1つひとつ手に取り、5秒で「いる・いらない」を判断、いらないモノは処分する

片づけ法② **ときめきの判断軸**……心がときめくモノだけを家に残し、ときめかないモノは捨てる

片づけ法③ **収納法を駆使する**……つっぱり棒やS字フック、100円ショップグッズを駆使し、自宅の収納量を増やす

片づけ法④ **毎日片づける**……毎日15分ずつ、こまめに片づけて、散らかった状態をつくらない

調査結果は、次のページのグラフをご覧ください。

まず、「実施率」です。各タイプのうち、何割の人がこの4つの片づけ方法を実際に試したことがあるか調査しました。

「カリスマ収納職人」は、すべての片づけ方に対して、半数以上が「経験あり」という結果が出ました。日頃より試行錯誤を繰り返していることがわかります。実際のヒアリングにおいても、4つの片づけ方法のうち、1人あたり3、4種類試している方が多かったのが印象的でした。

また、「秘密基地住人」に関しても、カリスマ収納職人に次いで、いろいろな片づけ方を試行錯誤しています。

一方で、「ゴミ館仙人」は片づけに関心が薄いためか、他のタイプと比べて、いずれの片づけ法にもトライしていない傾向があるようです。

次に「挫折率」です。4つの片づけ方法を実施した経験がある各タイプの人に、成功したか・失敗したかを回答してもらっています。

目を引くのが、「秘密基地住人」は、どの方法に対しても過半数が挫折していること。

タイプによって マッチする片づけの方法は異なる

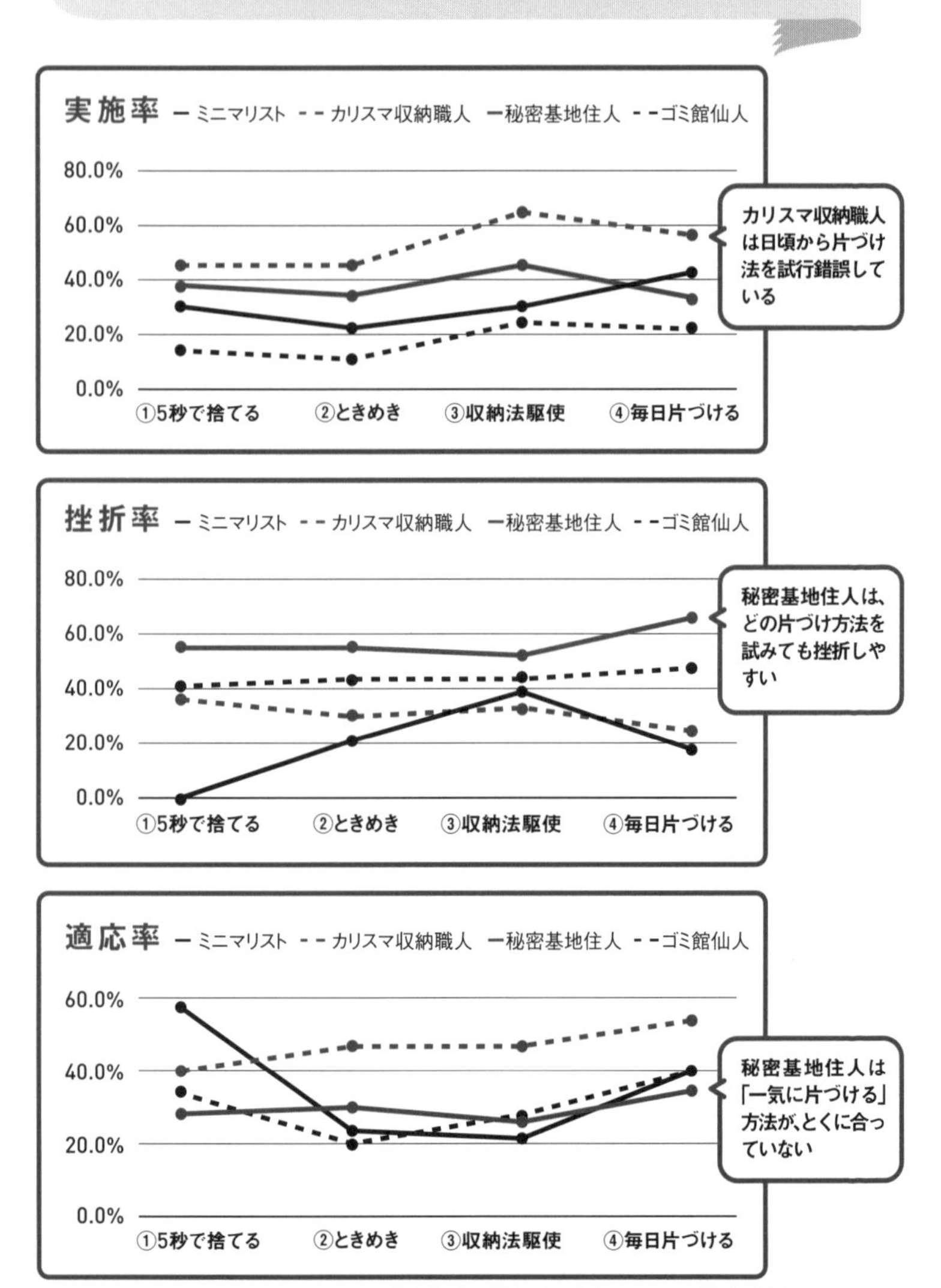

「所有欲に関する調査」2019,12　株式会社サマリー

とくに「④毎日片づける」方法については、7割もの方が挫折しています。

一方、挫折知らずなのが「ミニマリスト」です。「①5秒で捨てる」方法にいたっては、なんと全員が成功しています！

最後に、「この片づけ方は、自分に合っている」と感じる割合「適応率」についてです。実際に体験したか否かにかかわらず、その方法が自分に合っていると感じるかどうか判断して、回答してもらっています。

この中で、「①5秒で捨てる」方法が「自分に合っている」と回答しているのは、モノへの愛着が弱いミニマリストが多く、6割を占めています。

一方で、「秘密基地住人」は、「捨てる系」の片づけよりも、「④毎日片づける」方法のほうが自分の性に合っていると感じています。

その理由を聞くと、「5秒で捨ててしまうと判断がつかず後悔しそう」「一気に片づける時間が取れない」といったものが挙げられました。とはいえ、毎日コツコツつづけようと思っても、三日坊主になってしまう方が多いのは、挫折率からもわかります。

このように、**モノを捨てられず、愛着があり、かつ毎日片づける努力をする時間がない**「秘密基地住人」にとって、**一般的な片づけの方法では、思うような結果が出にくい**ことがわかります。

同じようにモノへの愛着があり、整理収納意識の高い「カリスマ収納職人」は、何種類もの整理収納法に意欲的に取り組み、工夫を凝らして片づけていることがわかります。さまざま試しながらも挫折はしておらず、相当な努力をして片づけに取り組んでいます。その努力は素晴らしいのですが、つづけていくのは非常に大変です。

ミニマリストは、時間的・経済的に効率のよい生活を手に入れている

幸せな人生のかたちは人それぞれですし、モノへの愛着があることで人生は深みを増しますが、一方で、モノに愛着がなければ、モノにとらわれず、身軽にスッキリした日々を送ることができるのも事実です。

そして、**生活における「効率」という点を見ると、4タイプのうち「ミニマリスト」が圧勝**します。P26で行った関東在住600人に対する独自調査の中で、4タイプの方に自宅における家事や精神面に関する調査を行ったところ、ミニマリストは、他のタイプに比

ミニマリストの生活は「効率化」されていて無駄がない

Q 床に掃除機をかけるのが、ラクだと感じますか?

	YES	NO
ミニマリスト	68%	32%
カリスマ収納職人	60%	40%
秘密基地住人	35%	65%
ゴミ館仙人	41%	59%

モノが多い部屋

- 何がどこにあるかわからなくなる
- 同じモノを買ってしまう
- 掃除しづらい

モノが少ない部屋

- 探しものがなくなる
- 無駄な買い物が減る
- 掃除がラクチン

べて、次の4つの項目で優位でした。

- 家事がラク（掃除機かけ・机拭き・ホコリ取り・料理）
- 家族とのコミュニケーションは活発である
- 仕事がはかどる
- 友だちをすぐに部屋に招くことができる

これだけ見ると、多くの片づけ本で「モノを捨てれば暮らしがよくなる」といわれているのもうなずけます。

ミニマリストは、必要最小限の「使うモノ」だけに囲まれ、収納スペースに対してモノが少ない状態で暮らしています。部屋の中にモノの数が少なければ少ないほど、掃除がしやすく、探しものが見つかりやすいということが、かんたんにイメージできるでしょう。

P29でもお伝えしましたが、**モノがあることで、豊かさや幸福感を感じる精神的メリットはあるけれど、それにともない、モノの管理が難しくなり、時間的・経済的な効率は下がります。**

いくら図書館や博物館のように、びっしりとモノが並んでいる空間を快適に感じる人でも、その並んでいるモノがホコリだらけで、並び順がメチャクチャで、何がどこにあるのかわからないなら、たちまち使いにくさを感じるでしょう。

また、**何を持っているのか把握できていなければ、すでに持っているのに同じモノを二度買いするなど、経済的にも無駄が生じてしまいます。**

とくに**掃除のしやすさは、「収納しきれず床に置いてあるモノ」の量と明らかに反比例します。**そこに個人差はありません。ひとつもモノが落ちていない部屋であれば、お掃除ロボットによって自動的に掃除を終わらせることだってできます。

目指すは「ミニマリストのように効率よく動ける部屋」

本書では、どのタイプの方であっても、「モノへの愛情は守りながら、ミニマリストのように効率よく動ける部屋」をつくっていくことを目指します。

とくに、「秘密基地住人」「カリスマ収納職人」、さらに「ゴミ館仙人」と「秘密基地住人」との間を行ったり来たりしている人には、有意義に試していただけるはずです。

もちろん、「私はモノを愛するミニマリストだ！」という方も、本書の方法を活用していただければ、より効率のよい快適な暮らしを追求していただけることでしょう。

「**ミニマリストのように**」という言葉からもわかる通り、多くのモノを捨てて家の中すべてをさっぱりした状態にするというような片づけ方はしません。

まず家の中を、手が届きやすい「ハンディーゾーン」と、手が届きにくい「バックヤード」に振り分けます。

ハンディーゾーンには、「ほんとうに使うモノ」だけを精査して分類し、ルールに沿ってミニマルに収納していきます。一方、バックヤードとは、「使わないけれど愛しているモノ」を収める場所のこと。この本では、クリエイティブで豊かな人生を支えるそういったモノたちを「捨てない」ことを提案します。そのため、バックヤードを家の中だけでなく、場合によっては外部まで広げることも視野に入れます。

片づけとは、ただモノを収めることが目的ではありません。**効率よくモノを収納しつつも、何がどこにあるか、いつそれを取り出して使うのか、つねにクリアに判断できなければ、モノを所有する意味がありません。**だからこそ、管理方法にもこだわり、物理的にも精神的にもミニマルな状態を手に入れることを目指しましょう。

では、いよいよPART2から、「捨てない片づけ」実践篇のスタートです。

効率的×クリエイティブな生活を手に入れよう!

- 家事がラク
- コミュニケーションの円滑化
- 人を招くことができる

効率的な生活

＋

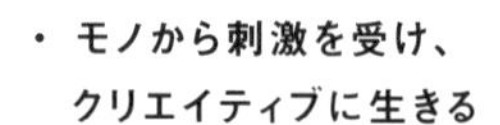

- モノから刺激を受け、クリエイティブに生きる
- 愛するモノと思い出に囲まれて、心豊かに暮らす

モノを愛するクリエイティブな生活

使うモノ

「ハンディーゾーン」でミニマル収納

＋

使わないけれど愛しているモノ

家の中のバックヤード

外部収納

「バックヤード」で見える化して収納&管理

相手のタイプを理解し、幸せな家をきずこう

誰しも一度は「モノの管理」について、家族や恋人と言い争いになった経験があるのではないでしょうか？

一緒に暮らしているとはいえ、相手がモノに対して愛情を抱いているのか、それともコンプレックスを抱いているのかは、なかなか見えないものです。

株式会社サマリーが以前行った調査では、モノについてもめたことのある夫婦は全体の約7割。モノのトラブルが原因で結婚を後悔している夫婦は約5割と、夫婦間でのモノのトラブルはひんぱんに発生していることがわかります。

さらに、**モノのトラブルが原因で、離婚の危機にまで陥った夫婦は、なんと33％も！**

自分の大切なモノを勝手に捨てられたことがきっかけで、パートナーにモノを見られないように隠したり、逆にモノが多すぎると説教したりと、モノにまつわることは、お互いに相手への不信感が募る大きな原因となるのです。

そのため、ぜひ家族や恋人と一緒に、冒頭で紹介した「片づけタイプ診断」に取り組んでみてください。次は、理想的な片づけタイプの組み合わせです。

- ミニマリスト×ミニマリスト
- ミニマリスト×ゴミ館仙人
- カリスマ収納職人×カリスマ収納職人
- 秘密基地住人×カリスマ収納職人

この組み合わせにおいては、基本的に、おのおのの価値観に従って生活していれば、トラブルになることはありません。

ただし、もしトラブルになるのであれば、収納が得意なほうに片づけのルールを決めてもらい、もう片方がしたがうことでうまくいくでしょう。収納が得意なほうから、高圧的な態度で片づけないことを責められたならば、正直に収納方法がわからないことを伝え、ルールをくわしく教えてもらいましょう。

一方で、モノへの愛着が異なる次のような組み合わせだと、トラブルが頻発します。

- カリスマ収納職人×ミニマリスト
- 秘密基地住人×ミニマリスト

・秘密基地住人×ゴミ館仙人

前者2つの組み合わせだと、ミニマリストが、相手のモノへの愛着に気づかず捨ててしまい、傷つけてしまう、あるいは、日頃からスッキリしない家に対して苛立ちを示してしまうことなどがあります。

また、整理収納意識の低い2人がパートナーになると、気楽ではありますが、収拾がつかなくなっていきます。その意味で「秘密基地住人×ゴミ館仙人」の組み合わせは危険です。「ゴミ」と「思い出」が交ざると見分けがつかなくなり、やがてすべてがゴミに見えてくるため、秘密基地住人は生活に希望を失っていくでしょう。

逆に、理想的とお伝えした「ミニマリスト×ミニマリスト」の組み合わせは、他の組み合わせと比べて、とくに生活効率がよくなります。モノが少ないため、勝手に捨てた、失くしたといったトラブルは起こり得ず、掃除もロボット掃除機に任せておけばＯＫです。

成功体験は、家族にも共有する

本書を読んで、**部屋の中だけミニマリスト状態をつくることに成功した場合には、ぜひ家族にも成功体験を教えてあげてください**。せっかくあなたが完璧な部屋をつくりあげたとしても、散らかしつづける家族がいるのでは、その努力が水の泡です。

また、あなたが片づけのルールをつくるときに、同居する家族が一緒に守れないルールをつくってしまうと、きれいな家を保つために、自分1人で戦わねばなりません。片づけを1人で背負い込まず、ぜひ全員が片づけられるルールづくりを、心がけましょう。

そして、**ほんとうに困ってどうしようもなくなったときには、整理収納アドバイザーを家に呼んで、家族と一緒にカウンセリングを受けてみるのもいいでしょう**。

パートナーが何を大切にしていて、何をされたくないのか、逆にどういうことなら協力できるのか、客観的な第三者の目線でヒアリングしてもらうことで、片づけが原因で対立することを防ぐことができます。

もし親御さんや友人などで、片づけが得意な方がいれば、家に招いたうえで相談するのも効果的です。

タイプの違いから、いがみ合ったり、傷つけ合ったりせず、幸せな家庭をきずけるよう、家族で協力して片づけを行っていきましょう。

PART

2

さあ、
片づけを
はじめよう

STEP

1

「捨てない片づけ」見積もりとスケジューリング

「捨てない片づけ」4つの心がまえ

家の中を見渡して、いくつかお気に入りのモノを手に取ってみてください。

どんなことを考えましたか？

そのモノについて、どんなことを語れますか？

私たちがモノを所有するのは「使うから」「愛しているから」

「代替可能性」という、モノへの愛を測るうえで、わかりやすい指標があります。

たとえばあなたが、ひとつのハサミを気に入っているとします。

「もしこのハサミが、機能的には同レベルの商品と取り替えられても、何も心がざわつかないかどうか」想像してみましょう。

ハサミを気に入っている理由が、「切れ味」「軽さ」であるならば、同じスペックの別のハサミと交換されても、とくになんとも思わないでしょう。

一方で、ハサミのデザインや、プレゼントしてくれた人の顔など、これまで使ってきた思い出が詰まっている場合には、たとえ新しいハサミがもらえるとしても、いまのハサミを取りあげられたら悲しい気持ちになるはずです。

モノを所有する理由は、さまざまあります。自分のためだけのモノ、人をもてなすためのモノ、誰かを応援するためのモノ……。あるいは、なんとなくだったり、捨てるのが面倒だったり。

家にあるその「モノ」が目に触れるだけで、心があたたかく、幸せな気持ちになるのなら、それは、正真正銘、そのモノへの愛がある証です。

人生の優先順位として、「モノへの愛を貫くこと」が、「ゆとりある部屋づくり」よりも大切だと感じる方にとっては、「思い出は2箱分まで」「棚に入る分までしか買わない」などといったルールをつくっても、モチベーションがまったくわいてこないでしょう。

人がモノを所有する3つの理由

Q なぜモノはそこにあるのか?

「そんなに我慢させられるなら、別に部屋が狭くてもいい」と開き直りたくなるはずです。だからこそ、一般的な片づけの方法ではうまくいかないし、チャレンジする気力もあまり起きないのです。

そんなモノを愛する人に伝えたい、一般的な片づけ方法とは異なる、「捨てない片づけ」における４つの基本をお伝えします。

① 「たくさん捨てること」をあきらめる
② 部屋の大きさは無視して、モノの「整理」に専念する
③ 一気に片づけず、1日3時間まで
④ 自分が何を愛しているのか把握する

「一般的な片づけ方法と、真逆では？」と疑問に思われるかもしれませんが、それでいいのです。

従来の片づけ本は、全員がミニマリストを目指すために設計されているので、モノの用途を冷静に見極め、モノと距離を置いてサバサバと分類し、用途がないモノを潔く捨てられる能力のある人にしか合いませんでした。

それに、毎日必死にきれいな部屋の状態を維持するために時間を割くことが、本来の自分の人生の目的に合っているかどうかも疑問です。

しかし、この本で目指すのは、「所有しているモノの量は減らさずにスッキリ暮らし、片づいた部屋を最小限の努力で維持すること」です。

では、先述の4つの基本についてひとつずつ説明しましょう。

①「たくさん捨てること」をあきらめる

モノへの愛が深い人ほど、一気にモノを捨てると、必ず後悔します。

モノを買うのに時間をかけて吟味し、その後も大切にかわいがってきた人が、わずかな時間でポイポイとゴミ箱に捨ててしまうと、「誤って捨ててしまった」と感じたとき、とてつもない後悔を味わうことになります。その寂しさを紛らわすために、新しいモノを買い足してしまう方も多くいます。これが、いったん部屋が片づいてもすぐにまたリバウンドする原因です。

目指すのは「捨てた量」ではありません。大量のゴミ袋が玄関に並んでいる様子に快感を覚えるのは、モノに対してドライな人だけです。

捨てた量ではなく、「残したモノの質の高まり」を、ゴールにしましょう。

片づけ作業でゴミが少ししか出なくても、大丈夫。

定期的にモノと向き合う時間自体が、モノへの愛をより高めてくれます。

たとえひとつもモノを捨てられなかったとしても、モノの意味を考え直す時間を持てたことが意義あることなのだととらえましょう。

②部屋の大きさは無視して、モノの「整理」に専念する

「収納」は、モノを活用するための手段であり、目的ではありません。

家の広さと、自分のモノへの気持ちにとくに相関関係はないのですから、モノと「収納」を切り離してじっくり考えることで、後悔のない納得のいく「整理」ができます。

まずは、**収納量のことはいったん無視して、「これは自分にとって、どんな意味があるのだろうか」と考える「整理」の作業を、真剣に行いましょう。**

③一気に片づけず、1日3時間まで

よく、「片づけはダラダラやらず、一気にやりましょう」といわれますが、モノを愛する人にとって、これも有効ではありません。

片づけは、集中を要する作業。**正しい判断がつづくのは「3時間」が限界です。**

「1日3時間まで」と時間を区切り、一歩ずつ着実に進めていくしかありません。

私自身も、お客様のお片づけ依頼では、3時間以上は受けないようにしています。劇的なビフォー／アフターはつくれませんが、ゆっくりじっくり向き合うので、片づけ後に後悔するようなことはありません。

一人暮らしであれば、家全体を片づけるのに平均20〜30時間かかるといわれています。3連休などに集中してやれば、10時間×3日というふうに、一気に終わらせることもできなくはありません。

しかし、1日のうち3時間以上つづけて片づけていると、よくも悪くも、ヤケになってくるものです。

モノをたくさん捨てたいときは、この「ヤケになる」状態は、プラスに働きます。「ええい、面倒くさい、この際すべて捨ててしまえ！」と、トランス状態で何もかもゴミ箱に投げ込みたくなるなど、感覚が麻痺し、判断が大胆になっていきます。作業が終わってしばらく経ったあとに、勢いで捨ててしまったと後悔するリスクが大きいのです。

そのため、**片づけはコツコツつづけているうちに、ふと気がつけば「あれ？ いつの間にか、家の中がほぼミニマリスト状態になっている！」という変化を感じられるのが理想**です。その状態に達すれば、毎週30分メンテナンスするだけで、整った使いやすい状態を維持できる「理想の我が家」になるでしょう。

④自分が何を愛しているのか把握する

モノへの愛情は個人差がありますが、カテゴリによって、思い入れの強いモノと、そうでないモノがあると思います。

そこで、片づけはじめる前に、自分自身の思い入れを可視化すべく**「愛するモノランキング」**をつくってみましょう。

「愛するモノ」とは、

- 買うことが好き！
- 見ているだけでテンションが上がる！
- 「捨てる」なんて考えたくもない！

などというように、自分自身が心を揺さぶられるモノのことを指します。

まずは部屋を見渡してみて、思いあたる自分の愛するモノを、どんどん付箋に書いていきましょう。モノの大小は問いません。たとえば、「ギター」も「化粧品サンプル」も同じように、自分にとっての愛するモノとして扱います。

そして、付箋にすべて書き出したら、それを次のページのように愛の大きさ順に並べ替えて、ランキングをつくってみてください。

このランキングは、実際に片づけ作業を行うときに「手をつける順番」に影響をおよぼします。**愛が深いモノは、片づけるのに時間がかかるため、作業の最後に回すほうがよいからです。**

家族と暮らしている方は、このランキングを家族全員でつくってみてください。**家族で仲よく片づけを進めるにあたって、それぞれが何を大事に思っているかを知ることは、非常に重要**です。

Aさんの
「愛するモノランキング」の例

1位
アイドルのグッズ

2位
文房具

3位
TV番組を録りためたDVD

4位
楽器

5位
食器

6位
缶バッジ

7位
粘土細工、手づくりの小物

自分の心と向き合い、
どんどん付箋に書き出していこう

家族の「じつは大切に思っている意外なモノ」を把握することで、誤って捨ててトラブルになったり、片づけを強要して不機嫌になられたりする事態を避けることができます。

たとえば、「紙袋」「箱」「リボン・包装紙」などのように、自分にとっては一見不要に思えるモノであっても、人によっては意外と思い入れのあることが多いものです。

自分が「ゴミ」と認定したという理由で、相手に「紙袋は捨てよう！」と強要してしまうと、相手の片づけに対するモチベーションは一気に下がります。

相手に「この人はなんでも捨ててしまうんだ……」と一度思い込まれてしまったら、心を閉ざされるだけでなく、物理的にモノを隠されることもありますから、一向に片づけが進まなくなることもあります。

「捨てたくない！」という気持ちを大切にする

ここで、20代女性・一人暮らしのAさんの例を紹介します。

Aさんは、P80のように、愛するモノをたくさん持っていましたが、その中でも、「TV番組を録りためたDVD」に対して、意外な思い入れがありました。

毎日リアルタイムでTV番組を見ているので、録画した番組を見直すことはありませんありません。また、「NetFlix」の会員でもあるので、見るべきコンテンツは山ほどあります。

客観的に見ると、「見る予定のないDVDは捨てましょう」とアドバイスしたくなる状況です。けれども、DVDを仕分けるときに、Aさんの手は自然と止まっていました。

じつは、Aさんは大好きなアーティストを応援することを趣味にしており、彼らを応援する気持ちで録りためていたDVDは、「我が子の運動会のビデオ」のように愛おしいものだったのです。心の奥には、「捨てるなんて考えたくもない！」という強い気持ちがありました。そこで、Aさん宅の片づけでは、「DVD」「アイドルのグッズ」には手をつけず、いったん箱に詰め、邪魔になりにくい場所に仮置きしたのでした。

あなたも、「どうしても捨てたくない！」と思うモノがあるのではないでしょうか。

その気持ちを、大事にしましょう。

これは決して甘えや怠慢ではありません。モノへの愛は、そのモノの価格や社会的価値とは一切関係なしに、個人的な感情がすべてです。**自分の「好き」としっかり向き合い、自分に合った順番で片づけることで、片づけは驚くほどスムーズに、気持ちよく進みます。**

「捨てない片づけ」4つの基本

① 「たくさん捨てること」をあきらめる

本来、モノは捨てることが目的ではありませんよね。

② 部屋の大きさは無視して、モノの「整理」に専念する

部屋が狭いからといって、モノへの愛を制限することはできません。そして、捨てなければいけないわけでもありません。

③ 一気に片づけず、1日3時間まで

どんどん捨てていくことで、捨てるスピードが自然と加速し、判断が曖昧に。捨てる必要のないものを捨ててしまい、あとから後悔することも。

④ 自分が何を愛しているのか把握する

愛するモノを片づけるのには時間がかかります。作業時間を確保し、じっくり向き合いましょう。

所有しているモノの量を測り、片づけの「全体像」を見積もる

よく「家中散らかっていて、どこから手をつけたらいいか、わからない」という相談をいただくことがあります。

また、「いつか時間を見つけてやればいいや」と、片づけを先延ばしにしてしまうこともありますよね。

どこから手をつけたらいいかわからないからといって、手あたり次第に作業をはじめてしまうと、いつまで経っても片づかないということになりかねません。

ですから、片づけ戦略においては、全体像を大まかに見積もることが重要です。

- 片づけるべきモノの総量はどのくらいあるのか

- それらにどの順番で手をつければいいのか
- どのくらい時間がかかるのか

そして、見通しがついたら、それを必ず実行できるようなスケジュールを設定することが、片づけをスムーズに進めるコツです。

では最初に、片づけるべきモノの総量の「見積もり」から説明しましょう。

家中の写真を撮り、いまの状態を把握する

まず、スマートフォンを持って、家中のモノを撮影してまわりましょう。

ここで注意したいのが、**「部屋全体」の写真を撮影するのではなく、「モノの集まり」の単位で撮影することです。**

1点1点のモノが、目で見て認識できるレベルで撮影します。押入れの中や引き出しも1段ずつ引き出して、すべてのモノをカメラに収めます。

写真を撮るときに、いたたまれなくなって、片づけはじめてはいけません。

モノを整えたり隠したりせず、ありのままの姿を、客観的に撮影してまわりましょう。

モノの集まりごとに写真を撮り、現実を把握する

本

ストック食品

Nさん宅

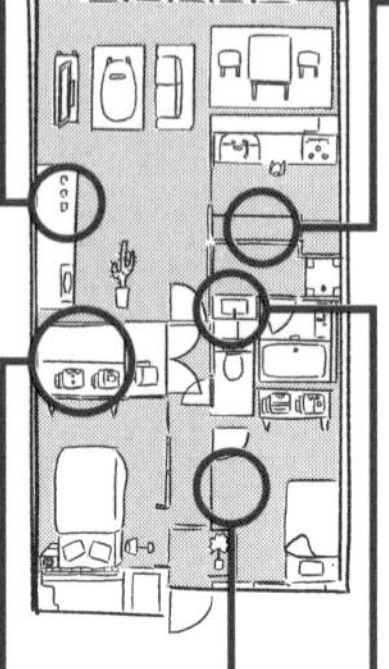

洋服

日用品

書類

まずは、現状を把握することが大切です。

ここで、Nさん家族（30代夫婦・子ども1人）の例を紹介します。20分かけて、右のページのように、家の中のモノの集まりごとに、全50枚の写真を撮りました。

モノの「目障り度」と「稼働率」で片づける順番を決める

写真を撮り終えたら、片づける順番を決めていきます。

優先順位は、「目障り度」と「稼働率」から判断していきます。

「目障り度」の定義は、ずばり写真を撮りながら、「うわっ……ここ片づいてない！　目立つ！」と気になった度合いです。居住スペースからまる見えの「書類の山」、クローゼットから「あふれ出た洋服」など、**ふだんからなんとなく気になっている目障りな「モノの集まり」を見つけていきましょう。**

一方、**「稼働率」の定義は、直近1ヵ月で使ったかどうか**です。写真1枚の中で、今月使ったアイテムの比率をざっくり数えてみましょう。

1つひとつのアイテムを細かくチェックするのは現実的ではないので、次のページのように、撮った写真を上下左右に4分割して簡易的にチェックしてみましょう。

写真を4分割して
カンタン「稼動率」チェック!

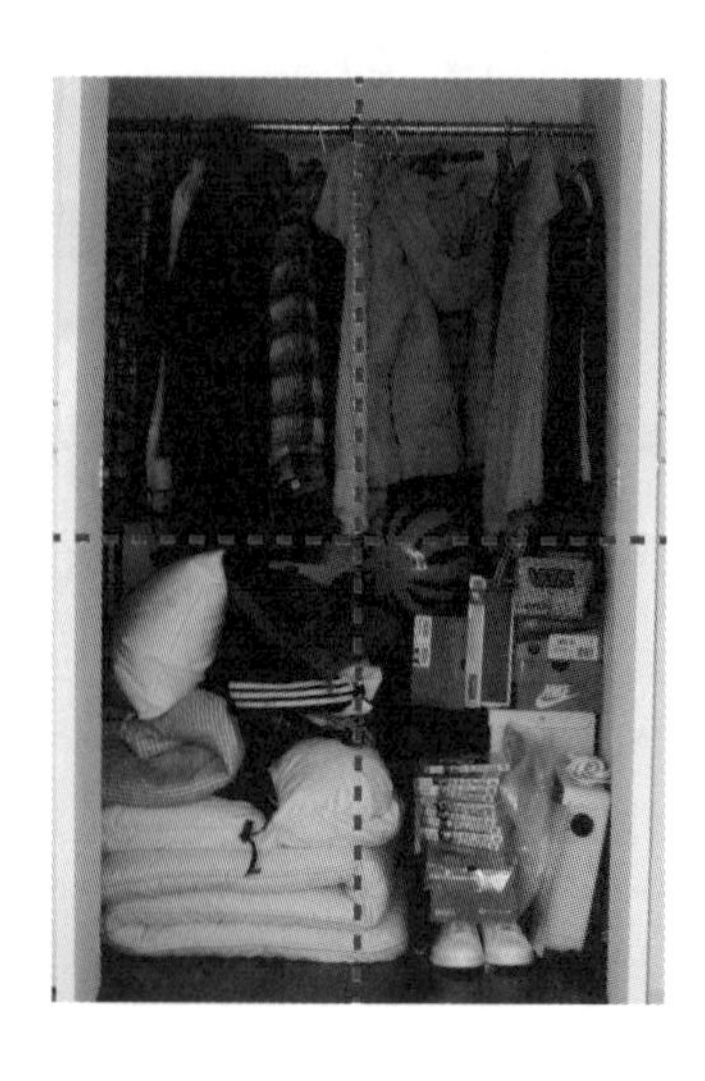

洋服

どの領域が気になりましたか？
全然着ていない服はありませんか？

日用品

どの領域のモノの使用頻度が低いでしょう？
使わずに放置しているモノは、ありませんか？

右上に写っているモノは、今月使っていますか？

一般的に、**「家の中のモノの8割は、月1回も触れられていない」**といわれています。

居住スペースも、収納スペースも、そこにあるモノの稼働率が高いほど、その空間は活用されていて、筋肉質な状態といえます。

なお「ミニマリストな部屋」と呼べるラインは、押入れやクローゼットなどの備えつけ収納スペース内のモノの稼働率が5割、居住スペース内のモノの稼働率が9割です。


このように、写真をもとに目障り度と稼働率の高低の判断を下しながら、それを目に見えるかたちに整理していきます。

次のページのように、縦軸に目障り度、横軸に稼働率をとったマッピング表を、手近な紙に、かんたんに書いてみてください。その表に、写真に写っている「モノの集まり」のアイテム名をマッピングしていきましょう。

このとき、**「リビング」や「クローゼット」などといった場所の名称ではなく、「書類」や「洋服」などといったアイテムの名前を書きましょう**。

マッピングし終えたら、図の左上「目障り度が高く、稼働率が低いモノ」から順に、番号を振っていきます。これが、**「実際に片づける順番」**になります。

片づける順番は
「目障り度」と「稼働率」で決める

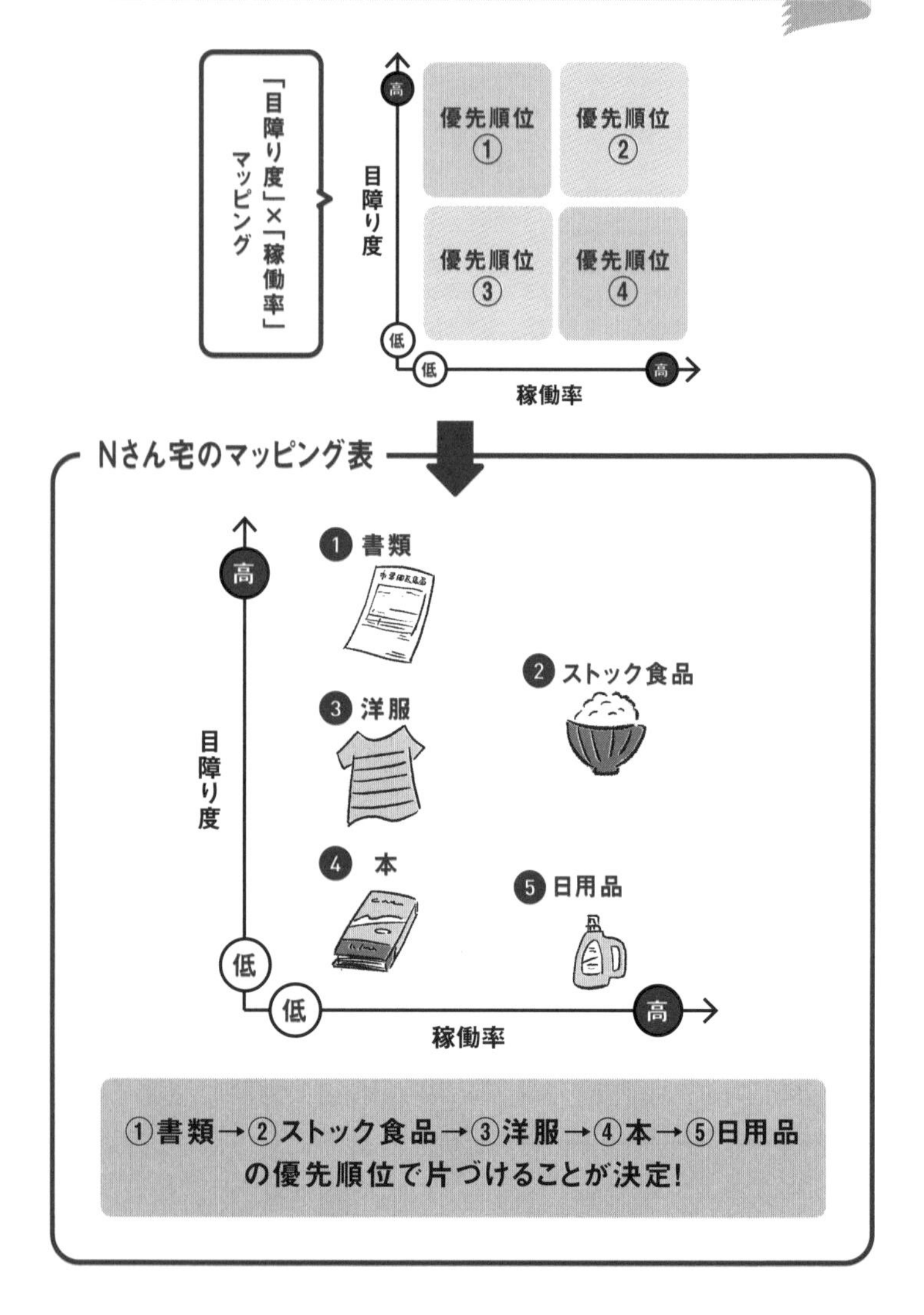

マッピング表の左上に、深く愛しているモノが入っているときは、要注意です。P78で紹介した「愛するモノランキング」の上位3位に入る「お気に入りのモノ」は、最初に手をつけると挫折しやすいので、あと回しにしましょう。

右ページの下の図は、先ほど例に挙げたNさん家族がつくったマッピング表です。

このマッピング表は、完成したら写真を撮っておきましょう。今後のスケジューリングや、あとからの振り返りで活用できます。

所有するモノの総量を「箱単位」で数える

さらに確認してほしいポイントがあります。**自分が所有している「モノの総量」**です。

お手元に、「3辺の合計が100cmサイズの箱」をご用意ください。宅急便の箱など、手軽に手に入るものでOKです（一般的な中くらいのダンボール規格です）。

モノの数を1点1点数えるのは現実的ではないので、用意したこの100cmサイズの箱に詰めると何箱分になるか、大まかに数えていきます。

写真を見ただけでピンとこなければ、実際にモノがある場所に箱を持っていって、モノを1つ2つ箱に入れてみると、おおよそ何箱分あるか、イメージできるでしょう。

決して厳密である必要はありません。少なく見積もるよりも、やや多めの箱数で見積もっておくのがおすすめです。

このように、それぞれのアイテムの箱数を大まかに見積もり終えたら、先ほどのマッピング表のアイテム名の横に、箱の数を書いていきましょう。（P103参照）

さて、全部で箱の数は何箱になったでしょうか？

箱の数が、あなたが「片づけたい」と考えているモノの総量です。

これがわかれば、あとから収納について考えるときも、モノの総量と収納スペースを比べることで、客観的に収納スペースに対して、所有しているモノが多いのかどうか、判断することができます。先ほどのNさん家族は、次のようになりました。

- 優先順位①書類　6箱
- 優先順位②ストック食品　4箱
- 優先順位③洋服　23箱
- 優先順位④本　12箱
- 優先順位⑤日用品　3箱

合計48箱

一般的に、家にあるモノの数は、1人あたり1500個、100㎝サイズの箱で20箱分ほどになります。たとえば次のページの図のように3人家族の場合は、単純計算でダンボール60箱分、4500個のモノが家にあると見積もることができます。

ここ数年で引っ越しを経験した方は、そのとき全部で何箱のダンボール箱を使ったか調べてみると面白いでしょう。引っ越してきたときと現在のモノの量との差がわかります。

ちなみに私は一人暮らしですが、平均よりやや多い1803個のモノを所有していました。とくに、コレクションしている本と、思い出のモノが多いということが、実際に数えてみてわかりました。

ここで家の中のモノをすべて箱に詰めて、総アイテム数を把握する必要はありませんが、1人あたりの所有するモノの平均量は20箱という目安があると、片づけようとしているその「モノの集まり」が多いのか、それとも少ないのか、ひとつの判断材料になります。

1つのカテゴリのモノだけで、かなりの箱数があるようなら、それは、あなたのモノへの愛の指標となると同時に、片づけの課題にもなります。

3人家族の家には
4500個のモノがある!

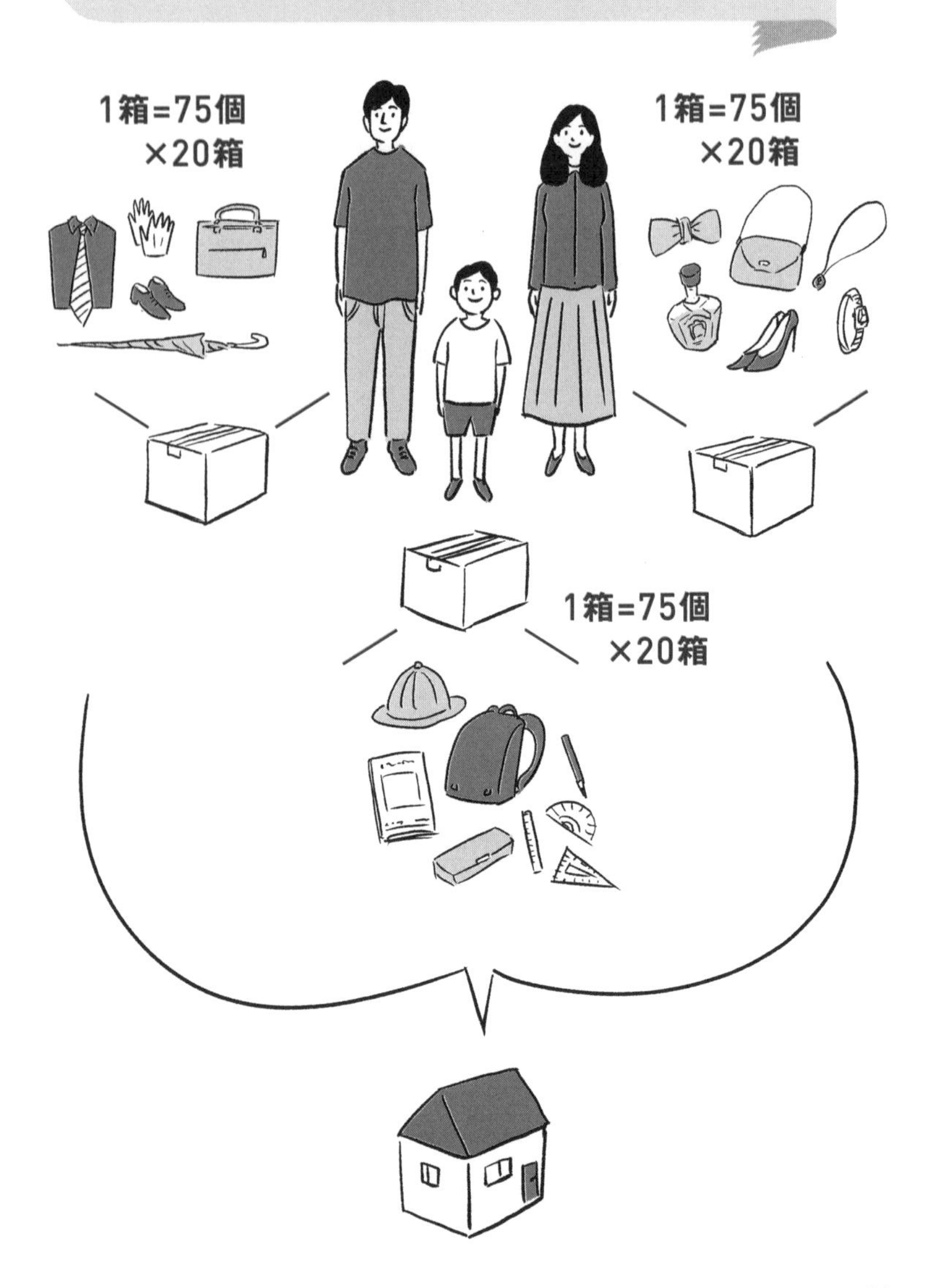

3
片づけの見積り

片づけにかかる時間を見積もる

片づけるべき「モノの集まり」と、それを片づける「順番」が決まりましたね。

つづいて、片づけるべきモノの総量と、アイテム別の量も把握することができました。

片づけにかかる時間は、モノの総量に比例します。

100㎝サイズの箱でモノの量を測ったことで、片づけに要する時間の見積もりが立てやすくなりました。

時間の基準として、

モノ1箱あたり　所要時間30分

と考えてください。

先ほどわかったそれぞれのアイテムの箱数に従い、片づけの所要時間を見積もりましょょう。

たとえば、Nさん宅の片づけるモノの総量は48箱だったので、次のように、片づけにかかる時間は、1箱30分と考えると、合計24時間かかると見積もることができます。

- 優先順位① 書類　6箱
- 優先順位② ストック食品　4箱
- 優先順位③ 洋服　23箱
- 優先順位④ 本　12箱
- 優先順位⑤ 日用品　3箱

合計48箱 ↓ **片づけるのに24時間かかる**

また、片づけの優先順位1位の書類は6箱なので3時間、2位のストック食品は4箱なので2時間の所要時間と判断できます。

ここまで見積もれたところで、スケジュールを組んでいきましょう。

4
片づけの見積り

スケジュールを立てて、片づけを確実に完了させる

片づけにかかる時間が見積もれたところで、片づけを最優先にせざるを得ないように環境を整備し、予定を組みましょう。

「いつか時間を見つけて片づければいいや」と先延ばしにできないようにするのです。

『完訳 7つの習慣』（スティーブン・R・コビィー著、キングベアー出版、2013年）で取りあげられている**「時間管理のマトリックス」では、自分自身のふだんの生活における時間を、次のように「重要性」と「緊急性」の2つの軸で、4つの領域に分類します。**

「第1領域 緊急」は、「重要度が高く、緊急度も高い」という状態で、**誰もがもっとも優先順位高く、いやが応でも取り組みます。**たとえば、締め切りのある仕事や、重要な打ち

合わせなどです。

「第2領域 価値」は、**大切だと思うけれど、急いでいるわけではないので、意識しないとあと回しにされがちなもの**。その分、やりきれたときの充実感が高いことが特徴です。これは、将来への自己投資のためには大事な時間といえます。たとえば、勉強やスポーツ、人間関係づくりなどがこれにあたります。

「第3領域 錯覚」は、「重要度は低いけれど、緊急性が高い」もので、「時間の浪費」とも称されます。無駄な会議や電話での問い合わせ、飲み会など、**相手がいるから、つい時間を割かざるを得ないもの**です。

「第4領域 無駄」は、文字通り「無駄」です。仕事においては、無駄が一切ないことが望ましいですが、プライベートにおいては、やや切り分けが難しいところです。

たとえば、テレビを見る時間も、気分転換になり明日への活力になるのであれば、第2領域と定義してもいいかもしれません。ただ、長時間かつダラダラとテレビを見つづけているのなら、第4領域の「無駄」とカウントしたほうがいいでしょう。

ふだんの生活の中では、第2領域の「将来への自己投資のための時間」を確保するのを、難しく感じるのではないでしょうか？

「片づけ」を「第2領域」から「第1領域」にランクUP！

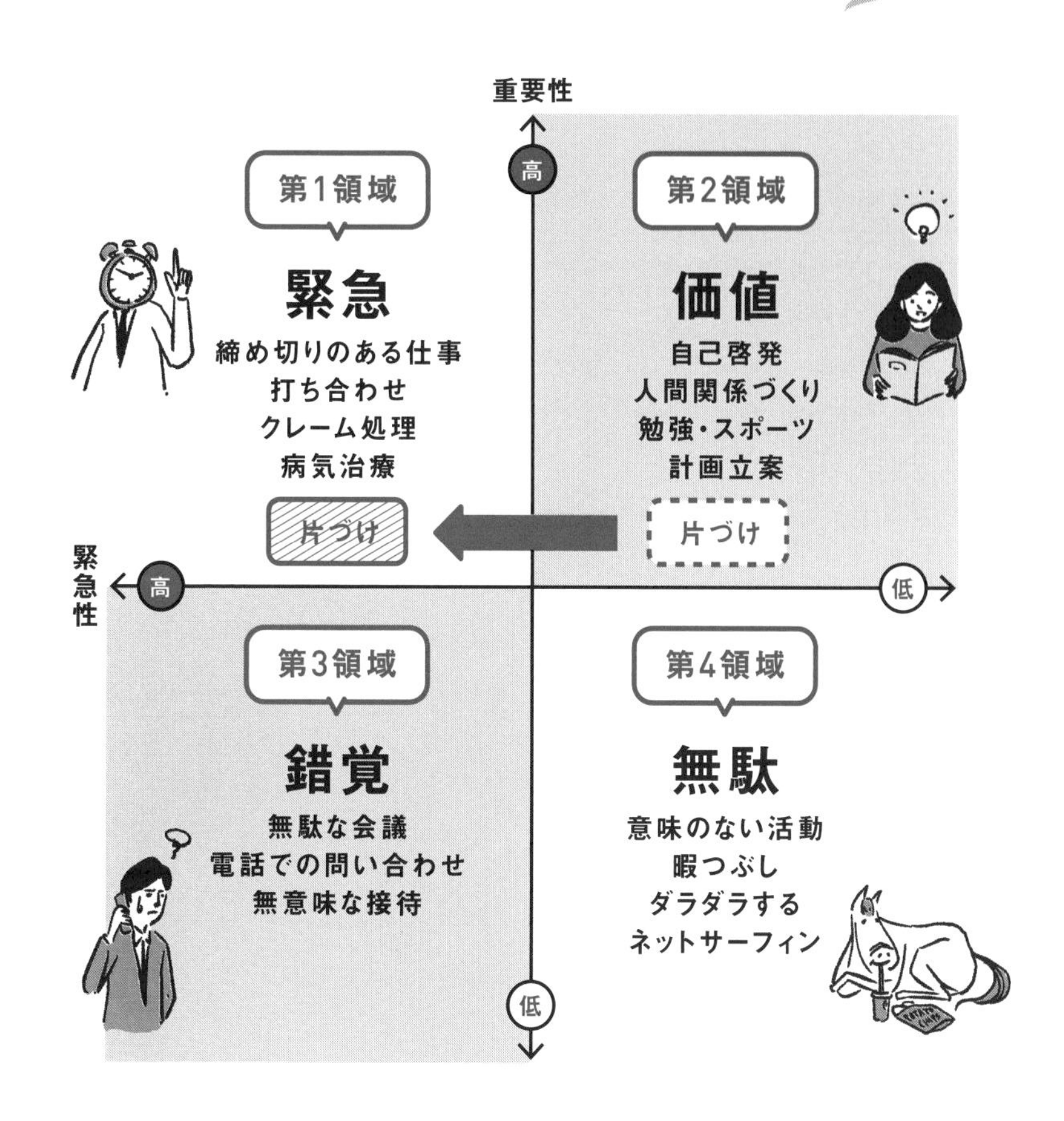

たとえば、自分にとって重要だと感じる「家計簿をつける」作業をやろうとしていたとします（＝第2領域）。そのとき、急に電話がかかってきて、友人とそのまま1時間も話し込んでしまいました（＝第3領域）。結局家計簿をつけることができないまま、晩ごはんの準備の時間（＝第1領域）になってしまいました。

これでは、自分で時間を確保することは難しいでしょう。

「片づけ」も、根本的には第2領域にあたります。コツコツ自己投資をつづけることのできる強靭な意志のある方を除いて、多くの方がそのほかの「急ぐこと」に気を取られて、片づけをあと回しにしがちです。

そこで、「片づけ」を第1領域に入らせましょう。

片づけの優先度を上げて、第1領域に入らせる方法は、次の3つです。

① 片づけ完了の締め切り日を決めて、全体の予定を組む
② 予定を確実に実行できるよう調整し、周りを巻き込む
③ 小さなご褒美を用意し、片づけそのものを楽しくする

これはダイエットや美容、フィットネスの優先度を上げる行為に似ています。

①「結婚式までにやせる！」と周りに宣言し
②友だちと一緒にジムに加入して毎週通い
③トレーニングのあとにはカフェに立ち寄り、ガールズトークを楽しむ

といった具合です。

①片づけ完了の締め切り日を決めて、全体の予定を組む

P96の片づけ所要時間の見積もりをもとに、まず片づけを完了させる締め切り日を決めましょう。

気をつけるべきポイントは、

「1日に手をつける箱数は6箱＝3時間まで」とすることです。

P77で前述しましたが、モノを正しく評価する力が持続するのは、最大3時間です。

締め切りをいつに設定するかは自由ですが、「1日6箱＝3時間」ルールのほか、無理のないペースも考慮して決めましょう。

週1、2回片づけを実行するペースで、1〜2ヵ月で片づけが完了することを想定して締め切り日を決めて、予定を組むのがおすすめです。

締め切り日の直後に、家に人を招いてホームパーティーをする、リビングでファミリー撮影をするなどといったイベントを設定しておくと、より「やらざるを得ない」環境を整備できるので、片づけを第1領域として持続させやすくなります。

たとえば、Nさん家族の片づけのスケジュールは、次のようになります。

片づけ時間は、48箱というモノの総量から、合計24時間と見積もりましたよね。

週1、2回・1回につき3〜6箱3時間ずつ片づけるとすると、2ヵ月かかるので、締め切り日は2ヵ月後に設定し、実際に予定を組みました。

P90で決めた優先順位に従い、初日は「書類」から手をつけはじめました。

「整理→収納」を完了させて1日を終える

気をつけたいのが、「その日に片づけると決めた箱数分を完了させること」です。

「モノの総量」と「所要時間」からスケジュールを立てる

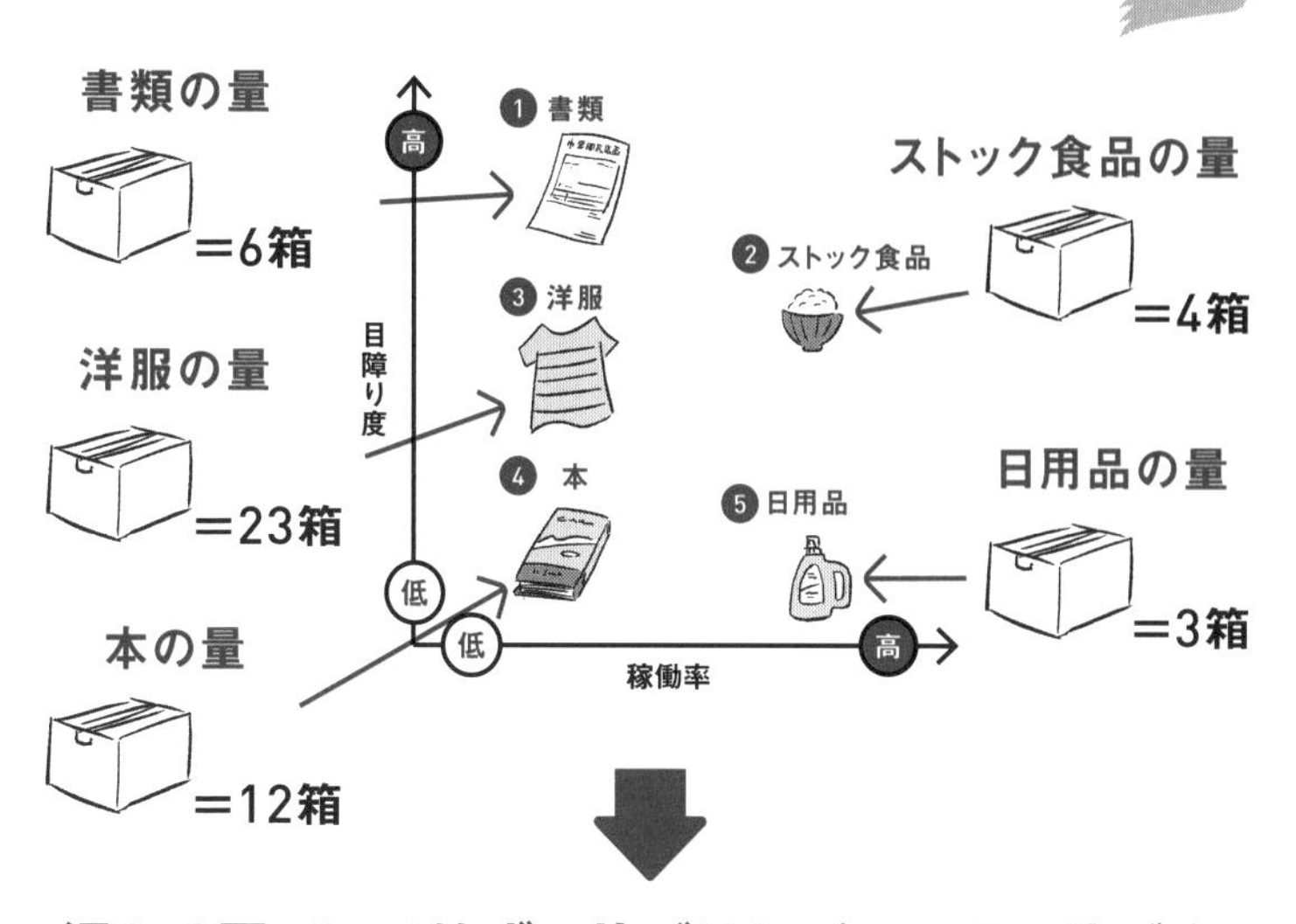

週1、2回、3～6箱ずつ片づければ、2ヵ月で片づく

1ヵ月目

FRI	SAT	SUN
	❶書類 6箱	
		❷食品 4箱
	❸洋服 6箱	❸洋服 6箱
		❸洋服 6箱

2ヵ月目

FRI	SAT	
	❸洋服 5箱	
	❹本 6箱	
		❹本 6箱
	❺日用品 3箱	5/31

2ヵ月で片づけるぞ!

GOAL

これは整理と収納を、いっぺんに終わらせるためです。

時間や場所を区切らず、際限なく整理のみを進めてしまうと、収集がつかなくなり、中途半端な状態で1日が終わります。部屋中にモノを広げたまま時間切れとなり、かえって部屋が散らかっていきます。パソコン上でのデータ整理と異なり、部屋の整理を途中で中断しても、日常生活は止められないので、途中状態を保持することができません。

P119からくわしく説明しますが、その日片づけると決めた箱数のすべてのモノを一度出して整理したのち、収納を完了させていきます。

洋服やコレクションしているモノなど、愛の深さや使用頻度、家族の人数によって、1回の片づけでは終わらない量のモノもたくさんあるでしょう。実際、Nさん家族も、洋服カテゴリの片づけを4日に分けて行うスケジュールを立てていますよね。こういった場合には、モノのカテゴリのほか、「収納する場所」「誰のモノなのか」などの視点を組み合わせて、必ず整理と収納が一度に完了できるように計画しましょう。

②予定を確実に実行できるよう調整し、周りを巻き込む

片づけるスケジュールが決まったら、必ずそれを実行できるように工夫します。

Ｐ１０７のリストのように、さまざまな工夫がありますので、自分に合うものを試してみましょう。

また、小さなお子さんがいる方は、どなたかに3時間預かってもらう方法を考えましょう。ただし、お子さんが幼稚園生以上の場合は、できれば一緒に片づけに取り組めると理想的です。

子どもは、親から指示を出されると、すぐに不機嫌になったり、言うことを聞かず遊んでしまったりするものです。「せめて自分のモノだけでも片づけて」と指示されたとしても、**子どもはどう片づけていいのかわからないため、なかなか片づけることができません。**

でも、うまく子どもも巻き込んで片づけに取り組むと、よりスムーズに進みます。

というのも、整理の作業は1人でもできますが、「意思決定者」と「サポーター」の2人1組で行うと、ぐんぐんはかどるのです。

サポーターがモノを意思決定者に手渡し、所有している理由や意味について、質問します。意思決定者がその理由や意味を回答し、サポーターに返します。サポーターは、モノの意味ごとに分類して、似たモノ同士を同じ場所にまとめます。

整理収納アドバイザーの仕事の半分は、このサポーター役を担うことですが、プロでなくともコツをつかめば、お子さんは強力なサポーターになってくれることでしょう。

以前30代のご夫婦と、小学3年生のお子さんの自宅を訪問した際、お子さんにサポーター役として片づけを主導してもらいました。

「使うの？　愛しているの？」という所有の意味を問う言葉が気に入ったようで、次々と1つひとつのモノの意味を両親に問うていきます。お子さんに判断を迫られて、ご両親はタジタジ。片づけをサボる暇などもちろんありません。お子さんも、困っている親御さんに指示する立場が面白いようで、スパルタ式で進めていきます。

この取り組みのよかった点は、親御さんが緊張感を持って片づけられたということだけではありません。**お子さんも「お父さんとお母さんにあれだけ指示したのだから、自分も片づけておくか」と、自発的に片づけはじめるという一石二鳥の結果になった**のです！

また、パートナーを巻き込みたいときも、このスタンスは活用できます。「あなたも片づけてよ」と言われると、気を悪くする方が多いのですが、「ちょっとだけサポーター役をやってくれない？」というお願いであれば、協力してくれる確率が高まるでしょう。自分のモノをひと通り片づけ終わったら、自然と立場をスイッチして、あなたがパートナーのサポーター役を担う流れにもっていくことができます。

確実に「片づけ」を実行する工夫リスト

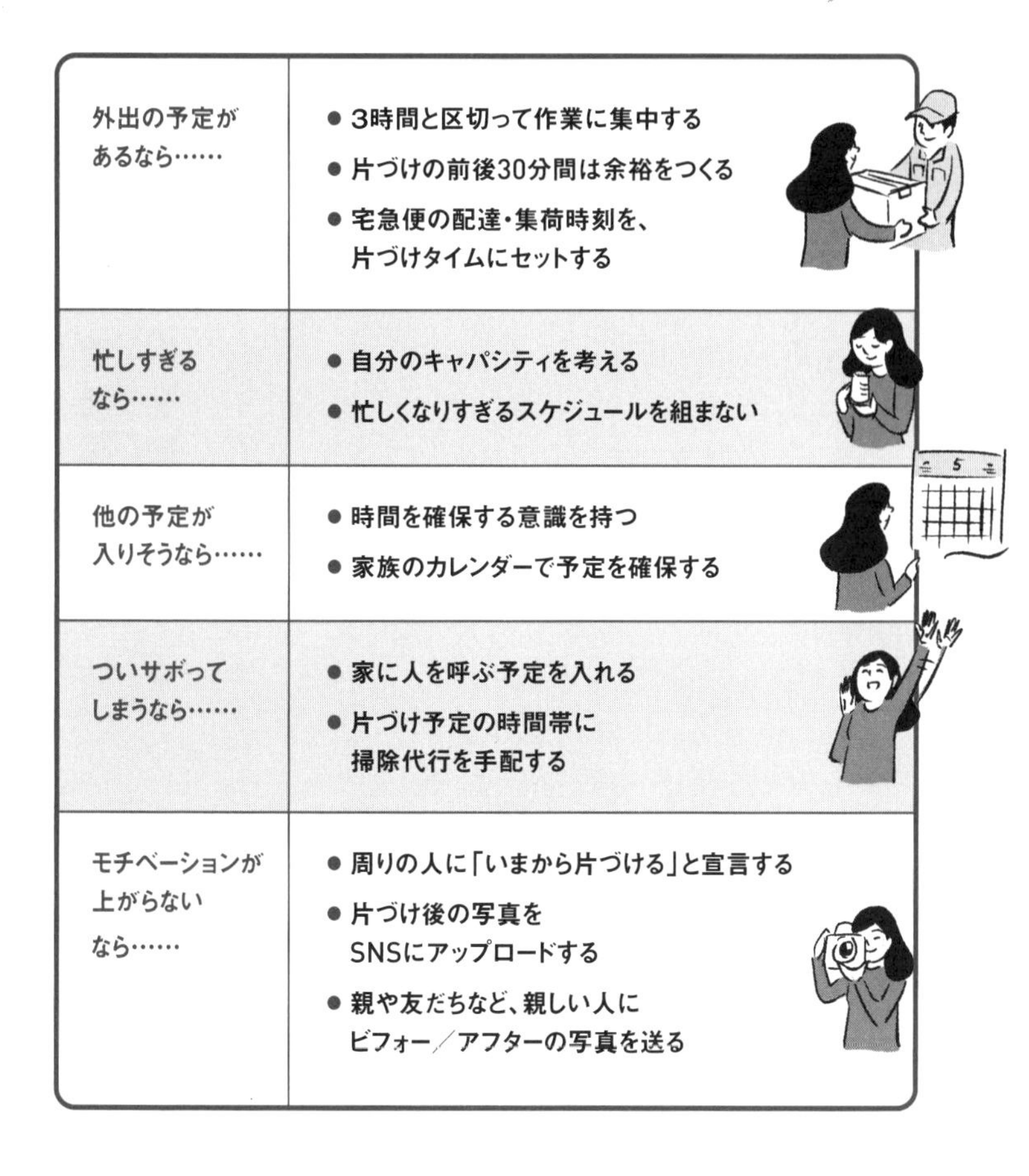

外出の予定があるなら……	● 3時間と区切って作業に集中する ● 片づけの前後30分間は余裕をつくる ● 宅急便の配達・集荷時刻を、片づけタイムにセットする
忙しすぎるなら……	● 自分のキャパシティを考える ● 忙しくなりすぎるスケジュールを組まない
他の予定が入りそうなら……	● 時間を確保する意識を持つ ● 家族のカレンダーで予定を確保する
ついサボってしまうなら……	● 家に人を呼ぶ予定を入れる ● 片づけ予定の時間帯に掃除代行を手配する
モチベーションが上がらないなら……	● 周りの人に「いまから片づける」と宣言する ● 片づけ後の写真をSNSにアップロードする ● 親や友だちなど、親しい人にビフォー／アフターの写真を送る

③ 小さなご褒美を用意し、片づけそのものを楽しくする

「片づけは1日3時間まで」と聞くと、短く感じる方もいるでしょう。でも、集中して行うと、なかなか骨の折れる作業です。

スケジュールどおりに、コツコツと片づけつづけるためには、片づけに対するモチベーションを高め、心が折れないよう、少しでも気分をハッピーにしてくれるご褒美を用意することが重要です。

たとえば、事前に次のような準備をしておくと、最初の一歩を気持ちよく踏み出せますよ。

- 片づけ作業中に流す音楽のプレイリストをつくる
- 片づけ終了後に届くように、うなぎの出前を予約する
- 片づけ作業中に飲むための好みのドリンクを買う
- アロマオイル・フレグランスをたく
- ご褒美スイーツを用意しておく

- 片づけと同時進行で「掃除代行サービス」を手配する（片づけ終了後は水周りもピカピカに！）
- 片づけ後に「料理つくりおき代行サービス」を手配する（3時間で、10品のおかずをつくってくれます）
- 片づけたあと、必ずほめてくれそうな人（家族や友人など）を探す

とくに最後の「ほめてくれそうな人」の存在は、とても重要です。

片づけが終わったあと、その成果に驚き、喜んでくれる人がいると、次回以降も片づけに挑むモチベーションになります。

同居家族である必要もありません。たとえば、これから片づけをがんばろうとしている友人とLINEグループをつくり、お互いに進捗を写真に撮って見せ合うのもいいでしょう。がんばる自分のモチベーションを、上手に維持していきましょう！

[おさらい]
片づけを完了させる3つのコツ

① 締め切り日を決めて
スケジュールを組む

（例）5/31まで

② 「1回3時間」の予定を実行できるように調整する

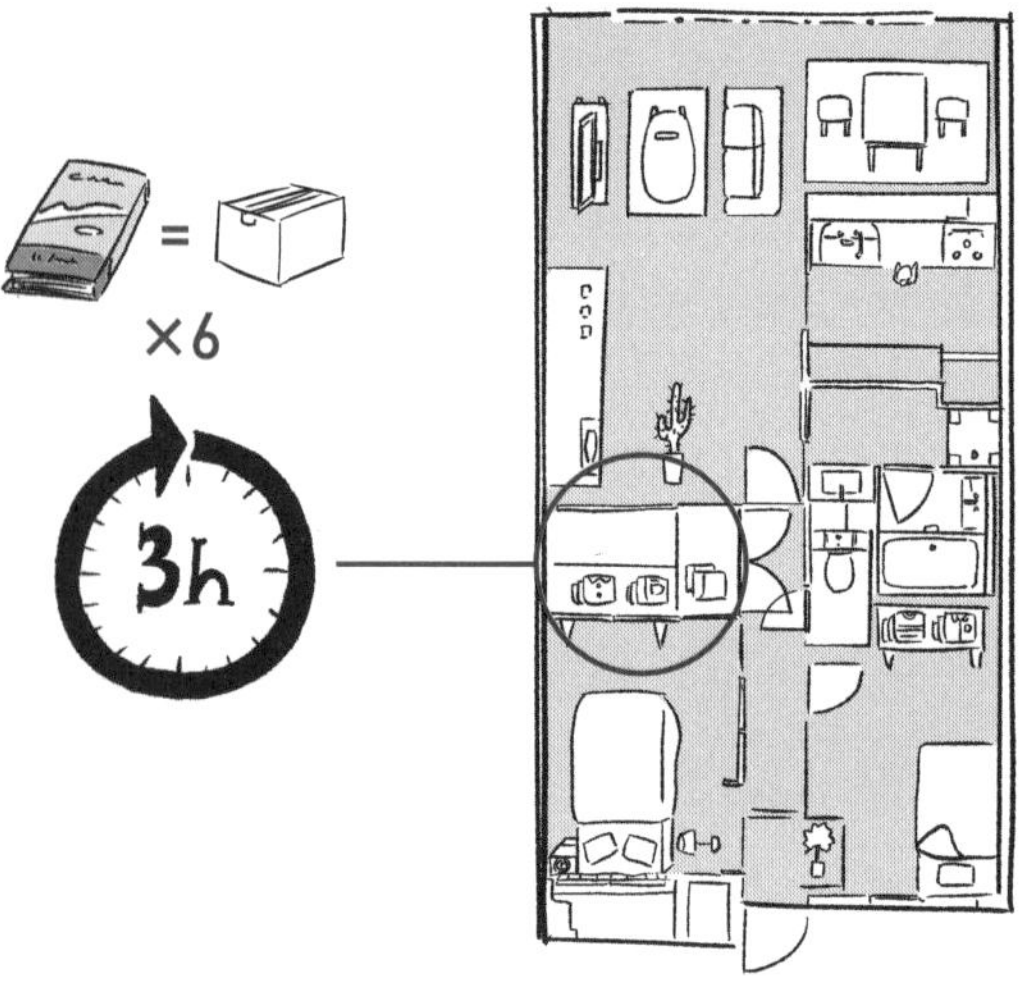

③ 小さなご褒美を用意し、
片づけそのものを楽しくする

片づけをがんばった
自分にご褒美をプレゼント！

事前準備を抜かりなく！

せっかく片づけのために確保した「3時間」。

この確保した3時間を効率的に使うために、かんたんに事前準備をしておきましょう。

とはいえ、棚や仕切りなどの新たな収納グッズは、事前準備の時点では購入しないようにしましょう。

多くの方が「片づけるために、まず収納グッズを買いたい」と考えてしまいますが、正しくは逆です。片づいてからはじめて収納グッズを買うべきなのです。

つまり、**収納グッズに合わせてモノを片づけるのではなく、モノに収納グッズを合わせます。**

とくに、家の中にあるアイテムで便利なのが、「空箱」です。

プレゼントでいただいたものや、好きなブランドの箱など、なかなか捨てられずにしまい込んでいる箱がないかどうか、探してみましょう。ティッシュやお菓子の空箱でもＯＫです。

まずは、この空箱にモノを仮置きしてみて、数週間試してみます。少し使ってみて便利であれば、無印良品などの収納ケースを、大きさを測って買うのもいいでしょう。


次のページは片づけに備えてそろえておきたいモノの事前準備リストです。

基本的には、家にあるペンや紙袋などを活用すると、モノが増えず、おすすめです。

買ってよいモノもありますが、その際は「１００円ショップ」などを利用すると、お金もそんなにかかりません。

しっかり準備を整えて、片づけに進みましょう。

事前準備リスト

買うとよいモノ（100円ショップを利用しましょう）

□ゴミ袋（大）	不要になったモノを捨てるときに使用
□ラベルシール	モノを整理するときに使用
□ジッパー付きビニール袋	モノを小分けにして、収納するときに使用

家の中で探しておくモノ

□ビニールシート	モノを全部出して仕分けるときに使用（床に直接置いてもOK）
□空箱	モノの仮置き・収納のときに使用
□紙袋	仕分け時に一時保管場所として使用
□カゴ	収納グッズ、および一時保管場所として使用
□サインペン（ボールペンでも代用可）	ラベルに背番号を記入するときに使用
□軍手	ホコリの多い箇所を片づけるときに使用
□ウェットティッシュ	ホコリをきれいに拭き取るときに使用
□マスク	ホコリが舞っているときに使用
□収納グッズ	余っているモノを使用

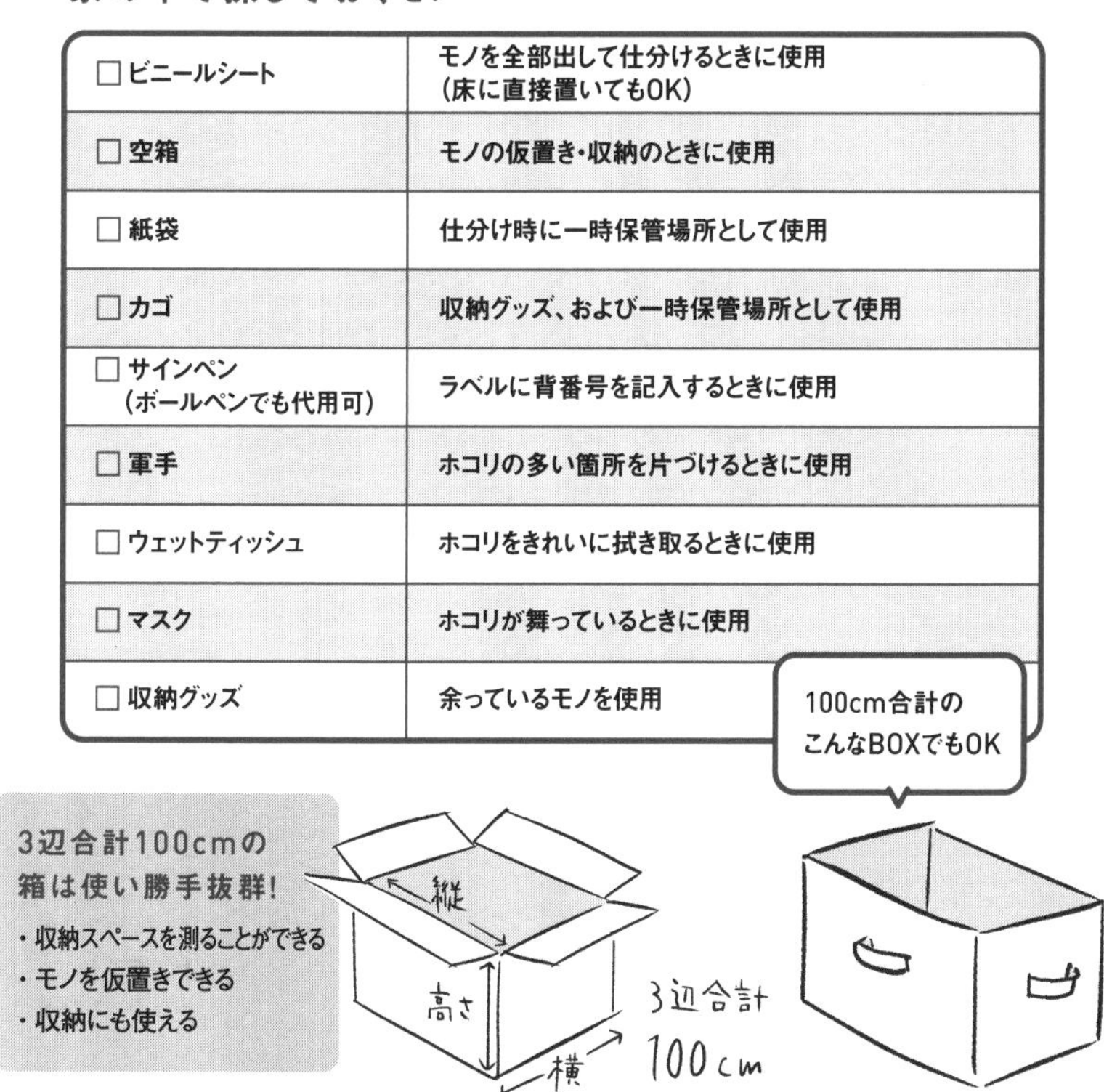

ドイツ人は、人生の半分を整理整頓に費やしている

ドイツには、「人生の半分は整理整頓」ということわざがあります。

そのため、どの家庭も家事の効率がよく、部屋が整っているそうです。

そこで、私たち日本人がドイツ人に学ぶべきポイントをいくつか紹介します。

①厳密なルールを決めると、片づけがはかどる

日本は「秩序とルールを守る国」というイメージが強いかと思いますが、ドイツもルールに厳格です。

ただし、ルールに従う理由が、両国で異なっています。

日本人は社会のために、ドイツ人は自分自身のために、ルールに従うのです。そのため、片づけや掃除など、家庭内の行動について差が表れます。

ドイツ人は、「窓拭きは○日に1回、○時間かけて行う」「晴れの日には作業Aと作業Bを、2人でやる」などというように、家庭内でもルールを厳密に定めて、家族全員で

共有します。

一方で日本人は、会社や行政のルールは守りますが、家庭内のルールは曖昧です。「お母さんしか、家事のやり方を知らない」という家庭も多いのではないでしょうか。

結果として、ドイツ人の家事は属人的要素が少なく、毎日安定してきれいな部屋を保つことができます。日本の「年末の大掃除」のように一気に片づける文化もなく、「1日10分、家族みんなでつづける」というスタイルです。

家庭内にルールを定めるよい点としては、「思考停止」できることです。

「プライベートぐらい自由にしたい」と思う方も多いと思いますが、じつは**ルール化して習慣化することで、考える負担が減り、新しいことを考える余裕を生み出せる**のです。

日本人が家事分担があまり得意でないのも、「ルール化されていない作業」が無数に存在することに一因があるのでしょう。

②収納スペースを常にオープンにする

「ドイツ人は使うモノを収納するが、日本人は使わないモノを収納する」という言葉が、Rinさんの著書『大人のラク家事』（KADOKAWA、2018年）の中で紹介されています。

確かに、日本語の「仕舞う」という言葉には、片づけるという意味のほかに、「自分のモノとして、人に知られないように隠す（例：思いを胸に仕舞う）」という意味もあります。「片づける＝人目につかないよう隠すこと」と認識している方も多いのではないでしょうか。

たとえば、ゲストが家に訪れたとき、日本人は客間に通し、寝室や収納スペースを決して見せません。

それに対して、ドイツ人は収納スペースも水周りもすべて開放して案内します。

この行動の背景としては、家をすべてオープンにすることで、ゲストに隠しごとをせず、受け入れていることを示すという、文化的な意味合いがあります。

収納スペースのモノを家族全員が毎日使い、頻繁に他者に見せているからこそ、居住スペースと分け隔てることなく、収納スペース内をきれいに保とうという意識が常に働いているのです。

文化的差異があるのは当然なので、「ドイツ人がえらくて、日本人がダメ」というわけではないのですが、少なくとも、

「①我が家の片づけルールをつくり、家族で共有する」

「②他人にも収納スペースを見せる」

という2点に関しては、片づいた状態をラクに維持するためには、とても有効です。

まずは、親しい友人を家に招く際、「どの部屋を見てもらってもＯＫ」という習慣をつくってみるのはいかがでしょうか。

常に片づいた状態を維持しようとする意識が、働くようになるでしょう。

STEP

2

「整理」

ひたすら定義し、
分類しつづける

1

モノの分類と整理

モノの「全部出し」からはじめよう

整理とは、「1つひとつのモノについて、所有する意味を定義する」作業のことです。

1つひとつのモノに意味さえつけられれば、整理は完了です。

モノを捨てる必要もありません。

1つひとつのモノを自分の手で触れ、ひたすら「分けつづける」ことが重要です。

そのための**整理の基本は、モノの「全部出し」です。**モノが本棚やクローゼットに入った状態で、そのモノの意味を定義したり、行き先の判断を行ってはいけません。

整理作業は、対象アイテムを、まず箱に詰めることからはじめます。この箱とは、P91から何度も登場している100㎝サイズのものです。そうしたら、今度はその箱から、1

点ずつアイテムを取り出し、意味を定義しながら、床に1点1点並べていきます。整理完了のタイミングでは、床一面に対象アイテムが全部出された状態になっているはずです。

洋服を例に、具体的に行ってみましょう。

まずはクローゼットの洋服をハンガーから外しながら、箱にポンポンと放り込み、詰めていきます。

ここでは洋服をたたむ必要はありません。

すでに衣装ケースにきちっとしまい込んだ服も、整理の対象です。

「次の季節の服をまとめてあるから触らないほうがいい」とか「すでにきれいに収まっているから出したくない」などと例外をつくりがちなのですが、モノがどんな状態であるかにかかわらず、必ず一度箱に詰めて、それからまた1つひとつ全部出しましょう。

モノを定義し、「背番号」をつけて収納する

1つひとつのモノと向き合いながら定義し、「背番号」をつける

モノを全部出していく中で、1つひとつのモノに、「自分がそのモノを所有している意味を書いたラベル」をつけていきます。

そのラベルを、私は「背番号」と名づけました。次のページが、「背番号表」です。手にしたモノは、このうちのどこに属するのか判断しながら分類していきます。

このとき、箱から出したモノを並べやすいように、ビニールシートを敷いておくと便利です。洋服はベッドの上に並べてもいいでしょう。

「使う」「使わない」と「愛」の軸で分ける

まず、**背番号をつける1つめの軸としては、大きく「使う」「使わない」で分類**します。

「使うモノは左へ、使わないモノは右へ」と、場所を意識しながら仕分けていきます。

この段階では**「思い入れ」を挟まず、客観的に、シビアに判断していきましょう。**

1つひとつのモノに「背番号」をつけていく

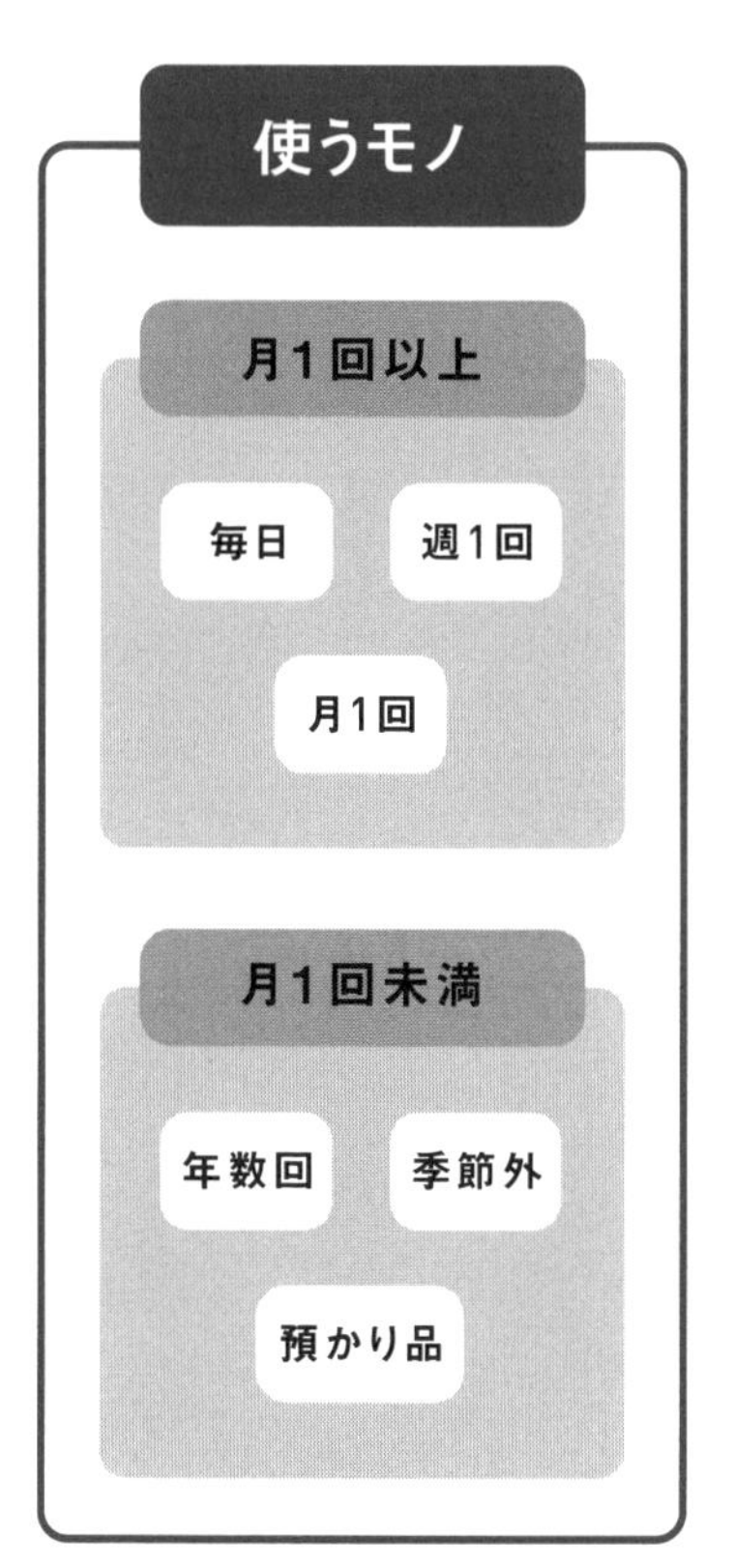

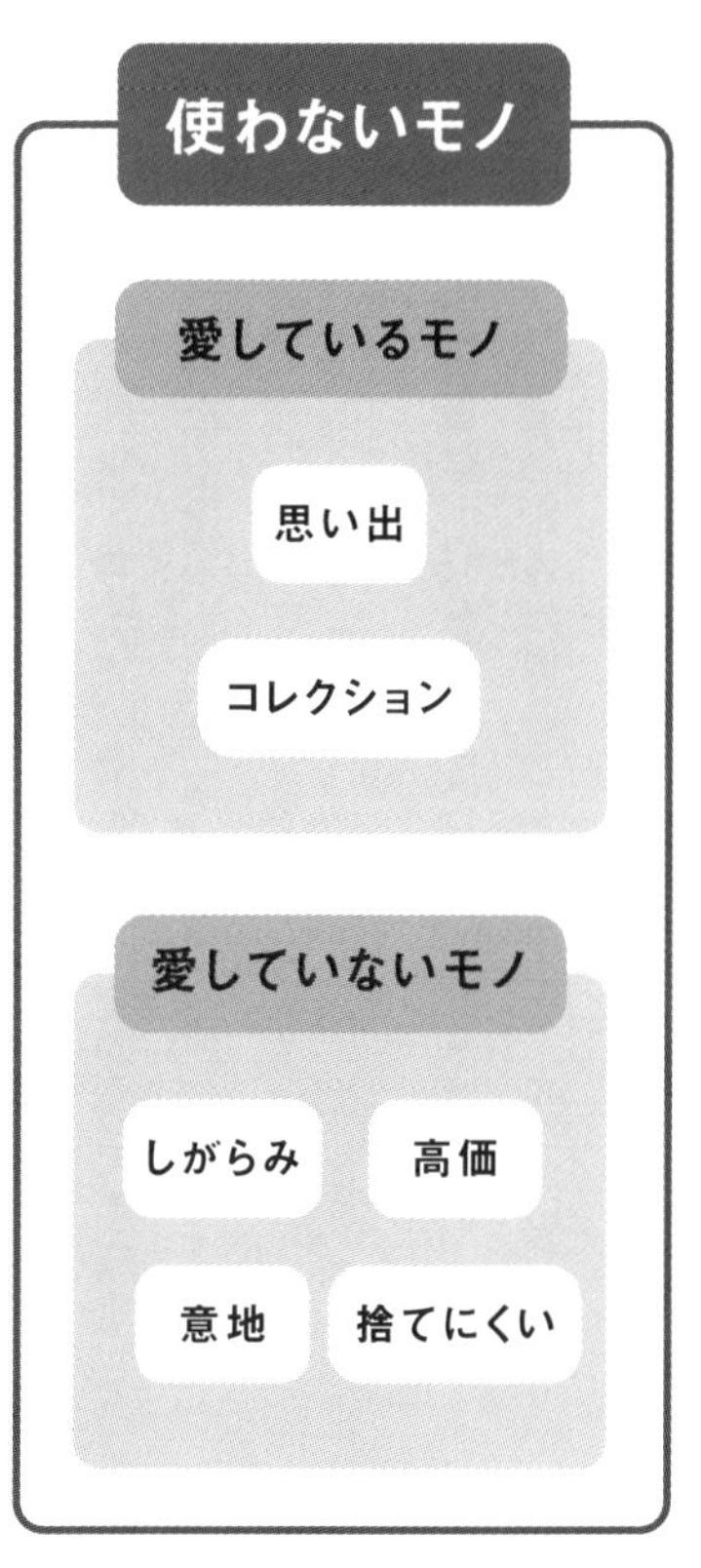

「過去1年に、どのくらい使ったか」を振り返り、「これから1年、どれくらい使うか」を想像します。

ちなみに、「とくに好きではないけど、よく使っているモノ」については、「将来こんなモノを使う自分とは決別したい！」という強い気持ちがあるなら、「使わない」グループに分類してもいいでしょう。

そして、**2つめの軸は、「愛」**です。1つめの軸で「使わない」と判断されたモノを、「愛している」「愛していない」の背番号で分けていきます。

「使わないけれど、愛しているモノ」は、手放さずに残しておくべきです。反対に「使わないし、愛してもいないモノ」は、積極的に手放すことを検討すべきです。

愛があるか否か、10秒以上迷った場合は、一旦「迷うボックス」へ（箱やカゴ、紙袋にまとめます）。整理作業の最後に、もう一度背番号を割り振れないか、見直しましょう。

1つの箱の**「整理」作業は、15分を目安に行いましょう。**

1箱あたり30〜60個のモノが入っているとすると、モノ1つあたりの判断に使える時間は15〜30秒と、限られた時間になります。

時間を守れるか心配な方は、30秒ごとに音が鳴る「インターバルタイマーアプリ」をスマートフォンにインストールしておくことで、緊張感を保ちながら整理しつづけることができます。

2人以上で整理作業を進める場合は、1人が意思決定者、もう1人がサポーター役として、二人三脚で判断を進めていくと、スピードが上がります（P106参照）。

サポーター役が意思決定者に「これは使っていますか？ 使っていないのなら、愛していますか？」と聞き、意思決定者はリズムよくそれに答えていきます。

10秒以上意思決定者がかたまってしまったら、「迷うボックス」に入れ、いったん保留として進めましょう。

2

モノの分類と整理

「使うモノ」は、使用頻度で分類を進める

「使う」と判断したモノについて、さらに細かく分類し、背番号をつけていきます。

分け方の基準は、「使う頻度」です。「直近でいつ使っただろうか？」「次はいつ使うだろうか？」という視点で、ここでもシビアに使用頻度を見極めていきます。

バッグを例に、分類してみましょう。

たとえば、次のように、家に8つのバッグがあるとします。また、整理作業を行っている時期は、10月だと仮定します。

① 毎日使う通勤用の「トートバッグ」

②週末のお出かけに使う「小ぶりなバッグ」
③月1回特別な日に使う「ブランドバッグ」
④年数回、キャンプのときに利用する「アウトドアリュック」
⑤冠婚葬祭で突発的に使う「ハンドバッグ」
⑥夏に使いたい「かごバッグ」
⑦幼いころ使っていた「ポシェット」
⑧親からゆずり受けた「ブランドバッグ」

まず、すべてのバッグを一度箱に入れて、1つひとつ取り出して、背番号をつけて分類していきます。

①〜⑧の中で、この1年間で使ったのは①〜⑥、使っていないモノは⑦⑧です。

そこで、①〜⑥を、使う頻度によって、さらに分けていきます。

⑦⑧は、これからも使う予定がなければ、「使わない」グループに回して、そのあとに「愛しているかどうか」を確認していきます。

箱に詰め込まれていたバッグたちが、次のページのように背番号づけされて分類された時点で、「使うモノ」の整理は完了です。

「使う」「使わない」「愛」で バッグに背番号をつける

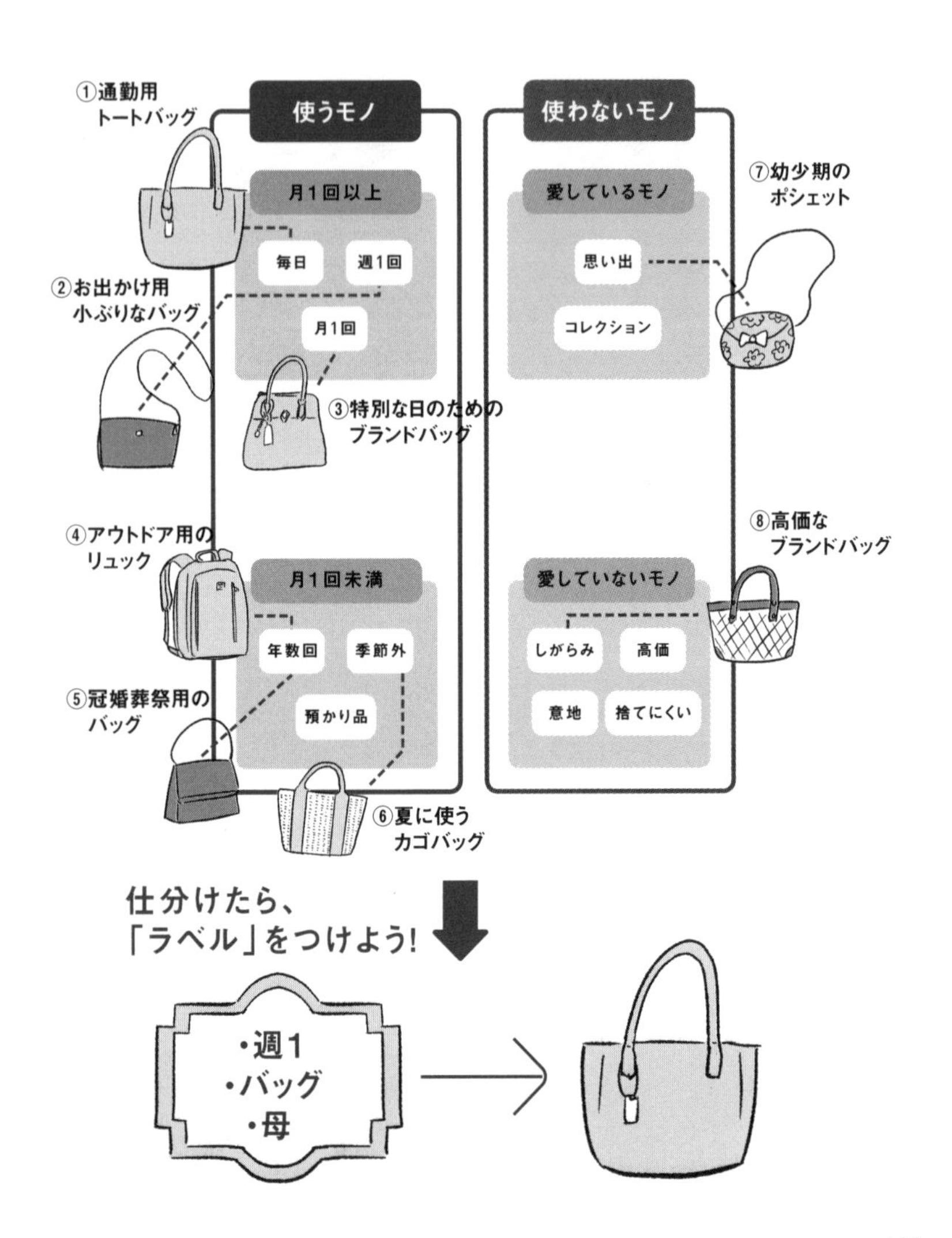

その後、分類したモノを、すぐに収納していきます。

「収納」に取り組む際、頻度高く使うモノから順に、定位置を決めていきます。

そのため、使うモノの使用頻度は、厳密に見極めて、背番号を振っていきましょう。収納方法については後ほどP160からくわしくお伝えします。

使用頻度の低いモノは用途別にまとめておく

使用頻度の低いモノは、用途に応じて、この分類段階でグルーピングしておきましょう。

たとえば、④アウトドアリュックのように、用途が特定のイベントに限定されている場合は、一緒に使うモノとまとめておくと、のちほどの収納作業時に便利です。

主な使用シーンがキャンプならば、キャンプグッズやウェア、レジャーシートなどの関連アイテムと同じ場所にまとめておくと、実際にキャンプに行くときにすぐに取り出すことができます。

来客時に使うグッズも、ひとつにまとめておきます。たとえば、私の家には母がよく遊びに来るので、母が使う部屋着や小物をまとめたグループをつくっています。

また、「季節外」に使うモノのグループは、時期ごとに細かく分けます。

整理作業を10月に行ったならば、「真夏のアイテム」と「真冬のアイテム」はどちらも季節外です。ただし、取り出す時期が違うので、同じ箱に詰め込んでしまうと、いざ使うときに不便ですから、使う時期が同じモノをグルーピングしましょう。

「使うモノ」も「使わないモノ」も、ラベルに背番号の「定義」を書いていく

なお、モノを分類し、背番号の定義がどんどん細分化されますが、せっかく分類しても、覚えきれず、あとでわからなくなってしまっては意味がありません。

ここで出番となるのが、事前準備で用意した「ラベルシール」と「カゴ」です。


ラベルシールの書き方には、コツがあります。

「使うモノ」は、P128の下の図のように、「使用頻度・アイテム名・持ち主名」の順で、シールに記入します。「週1・バッグ・母」「真夏・洋服・姉」「年2・キャンプ用品」などです（一人暮らしの方は、最後の持ち主名は省略）。

「使わないモノ」は、使用頻度の代わりに、「思い出・ノート」「コレクション・アニメグ

ッズ」などのように「所有している理由」を記入します。

自分の言葉で定義をラベルシールに書いたら、そのアイテムの近くのビニールシートや床に、忘れないように貼っていきます。

こうすれば、**どれがなんのグループか一目でわかるので、このあと収納に移るときに、迷わずにすみます**。

1箱分のモノを分類し終えたら、そのまま収納作業に入りますが、収納のルールについては、P160から説明します。

使用頻度で分けづらいモノの背番号のつけかた

ここからは、とくに仕分けしづらいモノの背番号のつけ方をお伝えしていきます。

本は「読んでいない」「読んだ」で整理する

本は「使う」という行為の意味が多様なので、分類が難しいアイテムのひとつです。研究者や編集者を筆頭に、職業柄本を読む方は、自宅に何千冊もの本を持っていることもめずらしくありません。

「本は自分のアイデンティティだから、いつでも手に取れるところに置いておきたい」と考える人も多く、片づけること自体を放棄する方もいます。

でも、本を片づけることをあきらめないでください。

結果的に1冊も捨てなかったとしても、1冊1冊手に取って、愛の大小に応じて、適切な収納場所を決めることができます。

本に関しては使用頻度というより、まず「読んでいない」「読んだ」という基準で分類し、そのうえで「用途」によって分類します。

次にグルーピングの一例を挙げますが、人により適切なグルーピング法は異なります。「なぜ、自分はこの本を持っているのか？」を考え、次のページように、持っている本を細かく分類していきましょう。

ここでも、いったん数の制限は設けず、その本の意味を考えていきます。分類が終わった段階で、今度は「使う」「使わない」で分けていきます。

本を「使う」の定義としては、「今年中に手に取って読む可能性があるかどうか」で考えます。

たとえば、Gの「文献として貴重なので保管しておきたい本」は、当然ながら捨てるわけにはいきませんが、それでも今年中に手に取って読む可能性は低いかもしれません。Hの「人に貸したい本」は、図書館に寄贈することで目的を果たせるかもしれません。

「読んでいない」「読んだ」「用途」で細かく分類し、行先を決める

1.まだ読んでいない本

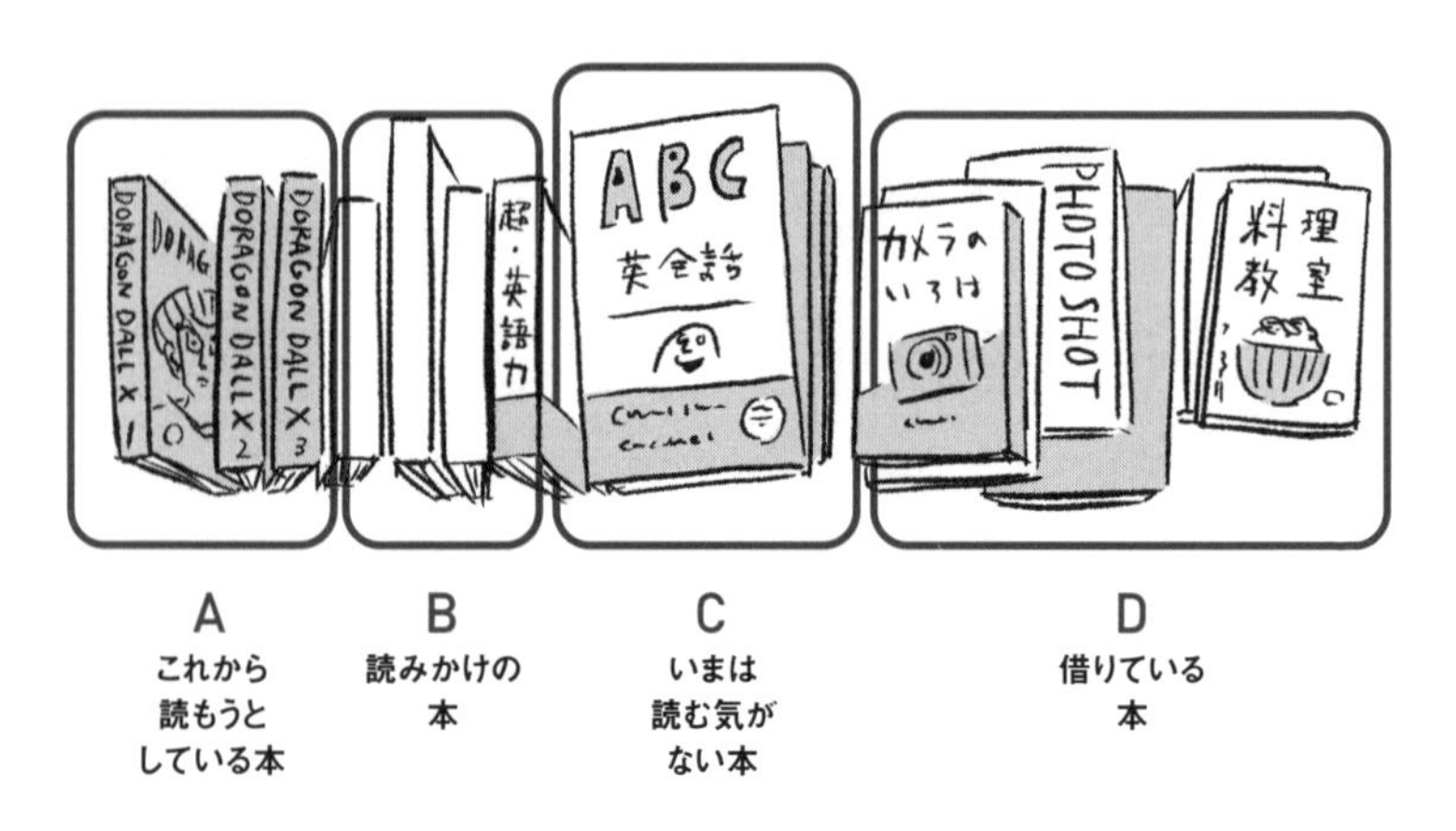

2.読んだ本

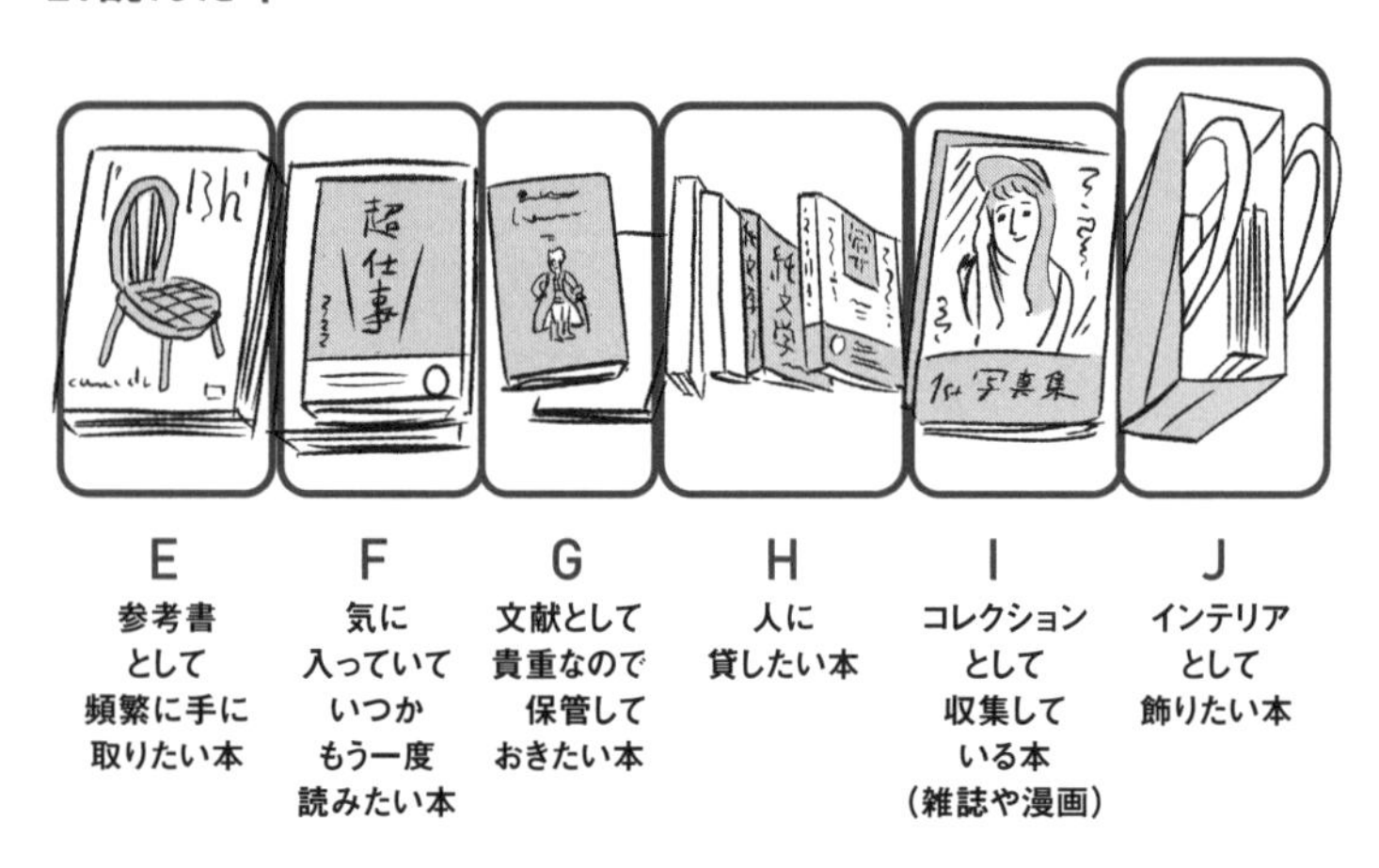

「使う（＝今年中に手に取って読む可能性がある）」と分類した本は、さらに手に取る可能性がある頻度別に、細分化していきましょう。

収納する段階で、たとえばEの「毎週のように手に取る参考書」は、机の上のように取りやすい「特等席」に配置し、Cのように当分手に取らなさそうな本は、手が届きにくい場所に配置しましょう。

書類は「必要となるタイミング」で整理する

書類は、本と同じ紙ですが、分類方法が異なります。

次のページのように**「書類が必要となるタイミング」で分ける**とわかりやすくなります。

このうち、「使うモノ」は①②にあたります。③は「季節外」、④は「使わないけれど愛しているモノ」として分類します。それぞれ保管方法も異なってきます。

「使うモノ」でいえば、公共料金の領収書、子どもの学校の手続き書類などは、内容によらずひとまとめにし、トレイなどの目に触れやすい場所に置いておきます。現物の保管が不要なお便りは、スキャンするか写真に撮り、紙自体は捨ててもよいですが、思い出だと感じるのなら、スキャンと撮影のあと、④に分類します。

家電、携帯電話、住宅設備などの取扱説明書も、インターネットに同じ内容が載っていれば、保証書などの替えが利かないページ以外は破棄しても問題ないでしょう。

また、クーポン付きのチラシは、クーポン部分だけを切り取り、財布やバッグの中に入れて、急いで使うようにすることをおすすめします（私は面倒くさがりなので、3日以内に使えなさそうなクーポンは、職場の誰かにあげるというルールにしています）。

一方で、住宅ローン書類や年金証書など、③の「すぐに使うわけではないけれど、保管義務のあるモノ」については、最小限に絞って、ラベル別のクリアフォルダに入れて忘れない場所へ。

年賀状や手紙、日記、アルバム、子どもの描いた絵などといった保管しておきたい書類は、④の「思い出」としてひとまとめにし、ラベル別のクリアフォルダや箱へ。

書類は、それぞれ保管方法が異なるのが特徴です。それぞれに合った方法で、しっかり保管していきましょう。

クリアフォルダにラベルシールを貼るのを忘れずに。

「緊急性」「保管義務」「愛」で分類する

使うモノ

① 今週処理するモノ

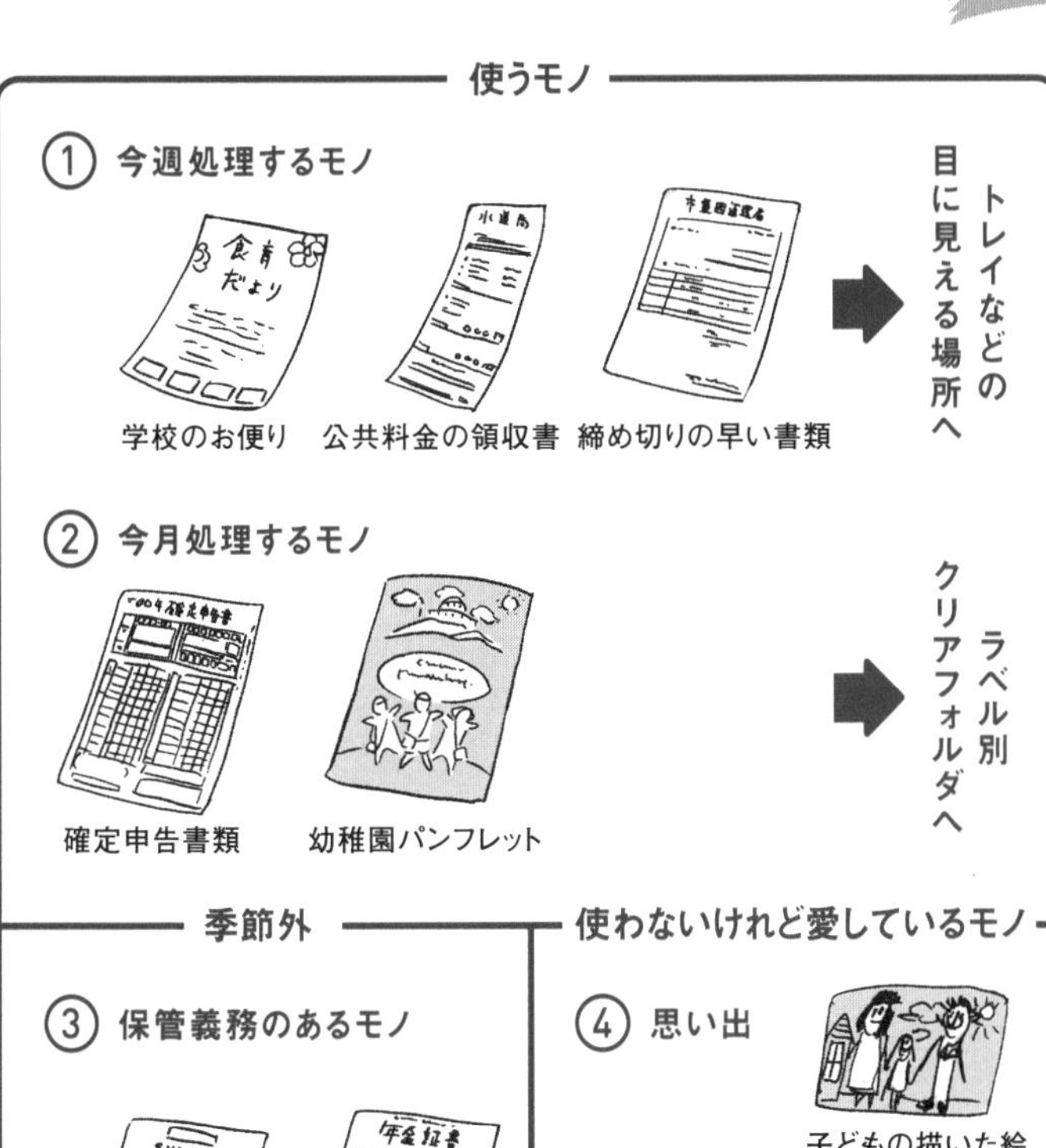

学校のお便り　公共料金の領収書　締め切りの早い書類

→ トレイなどの目に見える場所へ

② 今月処理するモノ

確定申告書類　幼稚園パンフレット

→ ラベル別クリアフォルダへ

季節外

③ 保管義務のあるモノ

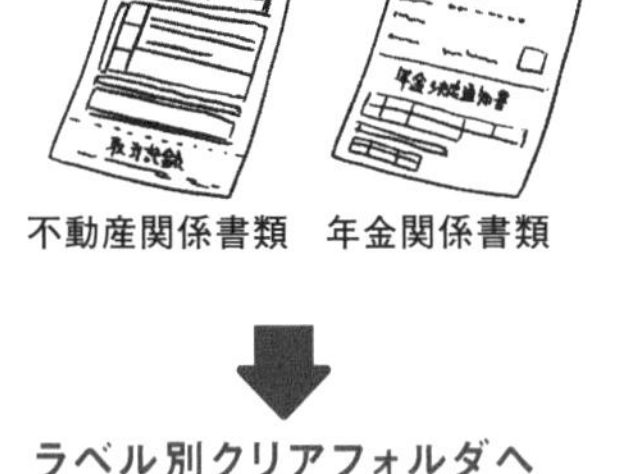

不動産関係書類　年金関係書類

↓

ラベル別クリアフォルダへ
入れて忘れない場所に

使わないけれど愛しているモノ

④ 思い出

子どもの描いた絵

アルバム

絵葉書

↓

ラベル別クリアフォルダや箱へ

※WEBでも見られる情報は捨てる（例:家電説明書は、保証書ページのみ切り取ってゴミ箱へ）

4

モノの分類と整理

「使わないモノ」は「愛」で分類する

「使うモノ」を分類したら、今度は「使わないモノ」の分類に入りましょう。

使わないモノを分類する判断軸は、ずばり「愛」です。

愛があるモノは、捨てられません。

逆に、愛がなければ、より活かせる場所へと、手放します。

モノへの愛がドライな方にとって、「使わない＝即処分」とするのはかんたんなので、テンポよくモノを手放していけるでしょう。

一方で、モノを持つこと自体に喜びを感じる方にとって、「使わないモノへの対処法」は非常にデリケートな問題です。

明白に「ゴミ」と判断できる一部のモノ（例：破れた靴下、インクの出ないペン）を除いて、さまざまな理由から「処分するのはつらい」と感じ、途中で心が折れてしまいます。

そのため、「使わないモノ」については、それを愛しているか否かで、さらに分けていきます。

1つひとつのモノを手に取り、「自分はこれをどう思うか？」「なぜ、これを持っているのか？」を考えていくのです。

「愛しているモノ」と「愛していないモノ」を分類する方法

「愛しているモノ」と「愛していないモノ」を分類していくと、場合によってはP144〜のように「使うモノ」の分類以上に細分化され、多くのグループができます。

引きつづき、ラベルシール・紙袋・カゴを活用して、忘れずに背番号の定義を書きとめたり、まとめたりしておきましょう。

「使わないモノ」は「愛」で分類する

大原則として、**モノへの愛は、本人にしかわかりません。**

もしあなたが、高価なブランドバッグに愛を感じない一方で、数百円のキーホルダーに愛情を感じたとしても、矛盾を感じる必要はありません。愛に理由はいらないのです。そして、他者に決められるものでもありません。

愛しているモノは、人生を豊かにしてくれます。

一方で、愛していないモノは、部屋に置いてあることで、あなたの人生をネガティブにしますから、すばやく**家の外に出す準備**をしていきましょう。

「愛しているかわからないモノ」はその未来を考えてみよう

私は、分類時の判断にかけられる時間は、「1つのモノあたり最大30秒」と設定しています。

ただし、瞬時に判断がつかないときは、「なぜ判断がつかないのか」という理由を添えて、いったん「迷うボックス」に仕分けます（P121参照）。

とはいえ、なんでもかんでも迷うボックスに入れていたら、整理は前に進みません。

「愛なのかコンプレックスなのか判然としないモノ」は、意外と多くあります。

つづけられなかったダイエット器具、挫折してしまった資格試験教材、昔やせていたころに着ていた服……など、いま手放してしまうと、なりたい（けれどなれなかった）自分とも縁を切ってしまうようで、つらい気持ちになるのもよくわかります。

私が愛読する『はじめてのＧＴＤ ストレスフリーの整理術』（デビット・アレン著、二見書房、２００８年）に、「目処が立っていない未解決事項は、本人が気づかないうちに、脳の大部分を支配する」という言葉があります。

つまり、「やらなきゃ」と思わせるモノが視界に入るだけで、潜在的に脳は罪悪感を感じ、エネルギーがすり減ってしまうのです。

愛しているモノは、部屋に入りきる・入りきらないにかかわらず、所有していることが幸せにつながりますが、**愛していないモノは、視界に入ることで、自分のエネルギーを奪ってしまうということ**です。

「手放すのはもったいない、つらい」と思ってしまう場合には、それを必要と感じている人にゆずりましょう。

たとえば、私はTOEFLのテキスト一式を、使わなくなった先輩からゆずり受けたのですが、先輩の思いを受け継いだような気がして、とてもうれしい気持ちで使うことができました。やがて自分もテキストを使わなくなったので、それを必要としていた後輩に一式ゆずることにしました。

自分にとってコンプレックスになったり、邪魔に感じたりするモノでも、それを必要としている人にとっては、純粋にタイムリーなモノになるかもしれません。

「自分はこれを愛しているのか？」という視点だけでなく、「これは私の家にいることが幸せなのか？」という視点からも、モノと向き合ってみてください。

5
モノの分類と整理

「愛しているモノ」について、より愛の定義を細分化する

熱心なボードゲームコレクターの方から、「『使う』『愛している』『愛していない』に3分類してしまうと、ほぼすべてのアイテムが『愛している』にあてはまり、その数が多すぎて、収拾がつかない！」という不満の声をいただいたことがあります。

大事なことは、まず「ひとつも捨てなくてもいいと考える」ことです。

そのうえで、すべてのアイテムとゆっくり向き合う機会をつくります。

箱に入れて締め切ったままでは、大切なモノたちも、きっと息苦しいはず。

定期的にひとつずつ手に取って、どうすればより魅力的に見えるか、どうすればより大事に扱えるかを、持ち主として考えてあげることこそ、モノへの愛であり、尊重の姿勢といえるでしょう。

そこで、「愛しているモノ」を、さらに細かく分類していきます。P147の図のように、「愛情」を縦軸、「手に取る頻度」を横軸にとり、モノをマッピングしてみましょう。

「全部大切」とはいえ、アイテムごとに、「こっちのほうがより大事」「これはよく手に取っている」という思いや重みの「違い」があることでしょう。

たとえば、同じ「写真集」でも、思い入れは、1冊ごとに違うはず。「愛情は薄れているけれど、文献としては貴重だから保管している」というものもあるかもしれませんよね。1つひとつ手に取って、愛情の高低を判断します。

愛情の高低によって、次の4つに分けられます。

- 神聖な領域
- 親友
- 念のためのログ
- 日用品

マッピング表の左上に位置する**愛があるけれどあまり触れていないモノは、「神聖な領域」**です。傷ひとつでもつけたくない、人にもあまり触られたくないので、押入れの風通しのいい場所や、リビングの棚など、「自宅のもっとも安全な場所」に置いておくべきモノです。

図の右上に位置する**愛があり、よく触れるモノは「親友」**です。ベッドサイドや本棚、マガジンラックなどといった、さっと手が届きやすい場所に置いて、いつでも手に取れるようにするイメージです。

図の左下に位置する愛もなくあまり使わない「念のためのログ」は、同じ趣味を持つ友人にゆずるなど、手放すことを検討できるアイテムと考えてみましょう。

どれも平等に愛が強く、「神聖な領域」「親友」に分類したモノが多すぎて困った場合には、もう一段階細かくセグメント分けしていきます。

同じ愛情があるモノでも、「自分の身体の一部と思えるくらい好きなモノ」と、「そんなに気に入っているわけではないけど、業界内ではレア度が非常に高いといわれている貴重なモノ」では、自分にとって意味合いが大きく変わります。

あとの収納のプロセスで、この意味合いの差が役立つので、細かくグループを分けてラベルに書いておきましょう。

愛の深さと向き合い細かく分類しつづける

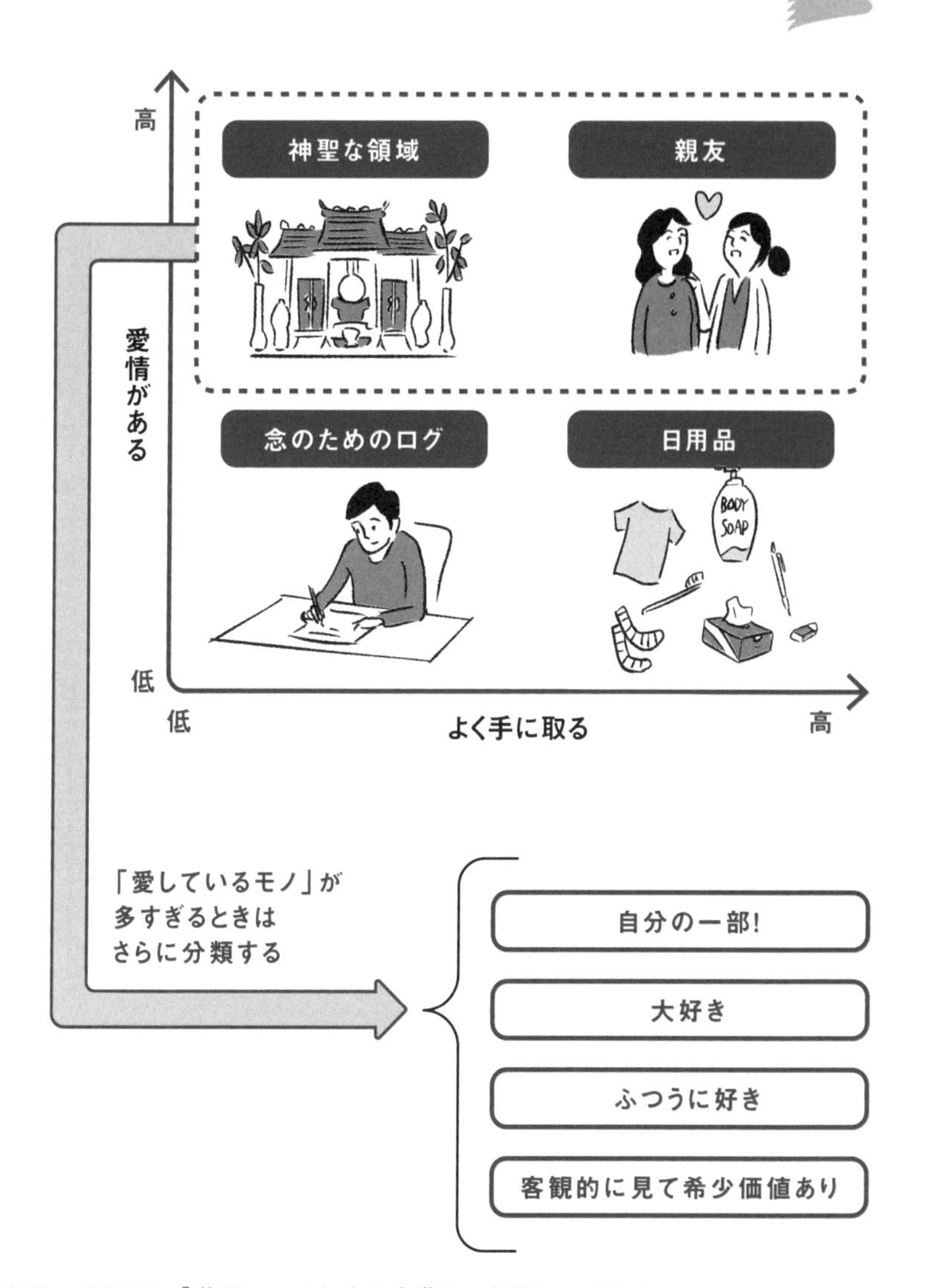

「重複」と「コレクション」は似て非なるもの

モノを整理するこのSTEPの最後に、重複しがちなモノについて、お伝えしていきます。

ストックとしてつい買ってしまう、あるいは趣味として好きだから、自然と手元に集まってきてしまうなど、**ある特定のアイテムが集まってくるのは、誰にでもあること**です。

けれども、「重複」と「コレクション」は似て非なるものです。

「重複」は、「使う」ことを目的に、同じ種類のモノを数多く持っていることをいいます。

対して「コレクション」は、数を集めること自体に愛を感じています。

たとえば、応援しているアイドルのシールを100枚持っていたとしても、これは重複ではなく、コレクションです。

一部では、化粧品・お酒・リボンなど、消耗品自体をコレクションしている方もいるため、この分類はなかなか難しいのですが、「胸を張って、それを集めることが趣味だといえるのか」がひとつの基準になるでしょう。

ただし、優先順位としては、なんでもかんでも収集するのではなく、趣味として愛しているモノの中の上位3位以内を、とくに大事に扱っていきましょう。

ストックしているモノをリスト化する

「何かあったときに怖い」と、日用品や食品を過剰にストックしてしまう方は、重複保有に要注意です。

たとえ2週間分以上の在庫を持っていても、管理しきれなくなってしまっては、停電などの有事の際に進路妨害になるなど、かえって危険です。

私が片づけにうかがったある3人家族の方は、シャンプーを10本もストックしていました。はじめは「防災も兼ねている」と話していましたが、その家族がシャンプーを消費するスピードは、1ヵ月で1本程度。10ヵ月もシャンプーを買いに行けなくなる災害なんて、あまり想定できません。よくよく聞くと、ディスカウントストアでお買い得になっていたので、つい買ってしまったという別の理由がわかりました。

防災の観点でいうと、「2週間、家族が暮らせる量」に限定してストックするようにしましょう。左ページの表はストックの適量目安です。家族の人数から、必要ストック数を確認してみてください。

必要ストック数を超えていても、使っていないモノを、いきなり捨てるのは困難です。まずは**「いかに自分がたくさん在庫を持っているか」を認識し、写真を撮ってリスト化して管理していきましょう。**


そのようなことから、ディスカウントショップや激安セールは、見ると欲しくなってしまうので、重複保有の天敵です。インターネット通販も、送料無料ライン（○円以上買うと、送料無料）を超えるために、つい必要量以上のストック品を買い込んでしまうものです。

もし「お買い得」という言葉に弱いのであれば、自宅の家賃および人件費と比較してみましょう。格安シャンプー10本を買いに行く時間と運ぶ労力、そして、シャンプー10本分を収納するスペースの1ヵ月の家賃はいくらになるでしょうか。

スペースが限られている我が家だからこそ、より思い入れの強いモノを置いていきたいものです。

我が家のストック
チェックリスト

ストック品目	1人分	家族4人分
□ シャンプー・リンス・ボディーソープ	各1本	各1本
□ 洗剤・柔軟剤（詰め替え用）	各1袋	各1袋
□ 歯ブラシ	1本	4本
□ 歯磨き粉	1本	1本
□ コンタクト洗浄液	1本	1本
□ コットン	1箱	1箱
□ 常備薬	各1箱	各1箱
□ トイレットペーパー	12ロール	24ロール
□ ティッシュ	2箱	8箱
□ 食器洗い洗剤（詰め替え用） 食器洗いスポンジ	各1個	各1個
□ 水（2Lのペットボトル）	5～10本	20～40本
□ インスタント麺・レトルトご飯・カレー	9食分	36食分
□ 乾電池	10個	20個
□ カセットボンベ	4本	12本

自然と集まってくるモノは「使い切る収納」を工夫する

「同じ役割のアイテムの重複」も発生しがちな問題です。たとえば私自身も、整理を行う過程で、次の重複アイテムがありました。

- 黒いペン　　　：30本
- 黒いセーター　：10着
- アイシャドウ　：15個
- 化粧品サンプル：60個

このような重複アイテムは、消費量に比べてインプットが過剰なために発生します。その背景には、趣味として好きだったり、コンプレックスがあったり……。あなたも、思いあたるモノはありませんか？　ついつい買ってしまうアイテムがあるのではないでしょうか。

たとえば私は、ドラッグストアに行くたびに、アイシャドウのコーナーで新作をチェックしていました。それは趣味としてメイクが好きなこともありますが、それだけではなく、「もっと目が大きくなりたい」というコンプレックスも理由のひとつでした。

こういった「自然に集まってくるモノ」は、自分の趣味やコンプレックスにつながっている可能性が高いため、扱いがなかなか難しいものです。

「好きなモノだから捨てられない」という気持ちもわかりますが、**安易な気持ちで何個も同じモノを買って並べているのは、愛を薄めているのと同じ**です。また、同じモノをいくつ買っても、残念ながらコンプレックスの根本は解消されないでしょう。

そこで、アイテムの重複が見つかった時点で、「いまあるストックを使い切るまで、新しく買わない」と心に決めましょう。

これを実践するポイントをお伝えしていきます。

使い切れるように配置する

使い切るコツは、使いやすいように配置することと、少し贅沢をすることです。

1ヵ所にまとめて収納するのではなく、**それぞれ使う場所ごとに配置して、より使いや**

すくします。それでも使い切る目処が立たなければ、周りの人にゆずります。

私の化粧品・アイシャドウの例で説明します。以前私は、15個すべてのアイシャドウを化粧台に置いていていました。中でもブランド化粧品は、大事だからと奥にしまい込み、手前にプチプライスの化粧品を置いて、ふだん使い用としていました。

しかし、ブランド化粧品に手を伸ばすのは月1回程度のため、なかなか減らず、気づいたら何年も奥にしまい込まれているモノも……。

また、プチプライスの化粧品を使う日々のメイクに、潜在的に満足できておらず、その反動で別のアイシャドウをどんどん買い足してしまっていました。

そこで私は、早く使い切るための作戦として、ブランド化粧品を化粧台の手前に置き、職場、実家、ジム用のそれぞれのバッグに、ひとつずつプチプライスのアイシャドウを入れました。また「すべてのアイシャドウを使い切るまで、新しいモノを買わない」というルールも決めました。その結果、お気に入りのアイシャドウから順に、テンポよく消費することができ、重複保有を解消することができました。

使いやすい「配置」と
使わざるを得なくする「仕組み」

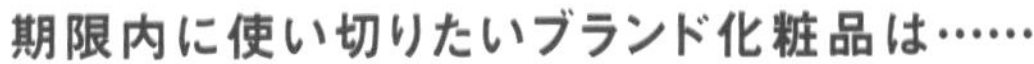

期限内に使い切りたいブランド化粧品は……

化粧台の
手前に置くことで、
使用する頻度を
高めることに成功

早く使い切りたいプチプライスの化粧品は……

職場

実家

ジム

それぞれの外出用バッグに入れておくことで、
まんべんなく、使い切ることができる

衣替えする派？ しない派？

あなたは季節の変わり目に、衣替えをしていますか？　年に何回、衣替えをしますか？
衣替えをするべきかどうかは、部屋の収納量と持っている衣類の数で、判断できます。
まず、次の2つをやってみてください。

①ハンガーラックとタンスの容量を調べる
②持っている洋服の数を数える

そして、①が②を上回る場合、衣替えをしなくていいという判断になります。
はたして、どういうことでしょうか？

①ハンガーラックとタンスの容量を調べるには？

メジャーを用意すれば、収納できる容量は、かんたんに測ることができます。

ハンガーラックもタンスも、どちらも「幅3㎝＝1着」として、計算します。

もちろん、Tシャツはもっと薄く、コートはもっと分厚いのですが、平均3㎝として計算していくのです。

たとえば、1組の夫婦の例で考えましょう。

自宅には、ハンガーラック幅90㎝、タンス幅50㎝×3段があるとします。

・ラック＝90㎝÷3㎝＝30着（＝ハンガーにかけられる着数）
・タンス＝（50㎝÷3㎝）×3段＝48着（＝たたんで保管する着数）

つまり、洋服は合計で78着分収まるスペースがあるということになります。

②持っている洋服の数は？

メルカリの2019年9月のプレスリリースによると、男性は1人あたり平均48着、女性は1人あたり105着、洋服を持っているそうです。

仮に平均通りに、夫婦が2人で150着の洋服を所有していたとすると、①の上限値

78着に対して、2倍程度の数を持っていることになります。

そのため、この夫婦は、洋服を78着にまで減らすか、年に2回（夏と冬）衣替えをするか、選ぶ必要があるでしょう。

もし②の洋服の数が、①の容量を2倍以上超えてしまった場合、衣替えの回数を年4回（春夏秋冬）に増やす必要も出てきます。


ところで、メルカリの同プレスリリースでは、興味深い発表をしています。

その発表は、**「女性は年齢を重ねるごとに、衣替えをしなくなる」**というものでした。

「今年、衣替えをする予定がない」と回答した方の割合が、20〜30代女性の16・5%に比べ、60代女性は25・2%で年齢とともに徐々に上昇していきます。

実際、私の身の回りでも「衣替えが面倒くさい」という声をよく耳にします。

「やめられるならやめたい」と思っている方も多いのではないでしょうか。

まずは、しっかり住居の収納量と自分が持っている服の数を把握したうえで、衣替えをするかどうか選んでいきましょう。

STEP

3

「収納」

定位置を決めて収める

1

収納と出口戦略

部屋の収納量を把握することからはじめよう

STEP2までに、**モノに背番号をつけて、分類してきました。「整理」を制する者が片づけを制します。**

この段階で、定義づけが曖昧であったり、妥協があったりすると、どんなに上手に「収納」したところで、2、3日すれば、また部屋は散らかりはじめます。整理作業で納得のいかないことがあるのなら、スルーせず、再度時間をかけて取り組みましょう。

整理が完了したところで、**モノの定位置を決める「収納」**の作業に移ります。

具体的な定位置決めと収納に入る前に、まずやっていただきたいのが、**自宅の収納スペースに、どのくらいの量を収納できるか、把握する**ことです。

たとえば、ダンボール1箱分のスペースに、ダンボール2箱分のモノを詰め込もうとがんばっても、物理的に入りませんよね。たとえどんなに工夫して1・5箱分収めたとしても、出し入れするのがとても面倒な状態になるでしょう。

そもそも家は、「居住スペース」と「収納スペース」の2種類に分けることができます。**収納スペースは、押入れ・クローゼット・戸棚・下駄箱など、住宅に備えつけの収納を目的とした空間**のことです。

総面積に対する収納スペースの割合を「収納率」と呼びますが、一般的に、マンションの収納率は5〜7%、一戸建ては13%程度といわれています（住宅の床面積に占める収納面積の比率のことで、法律上で定められているわけではありませんが、住宅メーカー各社が目安として使っているものです）。

マンションに住んでいる方の多くは、備えつけの収納スペースだけでは足りず、多くの方が、居住スペースの一部に本棚などの収納家具を追加購入して、収納量を増やしていることが多いようです。

片づけのお手伝いにうかがう中で、「部屋が狭い」「もっと広くなったらいい」という声を聞くのですが、はたして、ほんとうに狭いのでしょうか？

国土交通省の定める「住生活基本計画（全国計画）（２００８年3月18日閣議決定）」において、最低限これ以上の広さは確保したい「最低居住面積水準」と、居住人数ごとに快適に感じる「誘導居住面積水準」が定められています。

どちらも総面積に対して、収納に使う面積は1割程度で設定されています。

手元に自宅の間取り図があれば、見てみましょう。なければ、かんたんな絵を描いて、比較してみてください。

自分の家に、収納スペースは何㎡分ありそうでしょうか？

そして、次のページの表と比べて、現在の居住スペースは、十分にくつろげるスペースを確保できていますか？

日々の生活で「狭い」と感じる原因が、この「くつろぎ（就寝・食事・団らん）に使えるスペース」の狭さにあります。

くつろぎスペースの面積がこの表の最低水準を下回っていたり、ギリギリだったりしたら、要注意です。

これ以上、床にモノを置いたり、収納家具を買い足したりして、部屋を狭くしないようにしましょう。健康的で文化的な最低限度の生活が、モノに邪魔されてしまいます。

家族3人で暮らすのに
必要な住居面積はどれくらい？

最低居住面積水準

居住人数	機能スペース（m²）									居住面積（m²）
	就寝・学習等	食事・団らん	調理	排泄	入浴	洗濯	出入口等	収納	小計	
3人	15.0	3.1	3.2	1.8	2.3	0.9	1.5	3.6	31.4	40

誘導居住面積水準（都市型）の例

居住人数	機能スペース（m²）									居住面積（m²）
	就寝・学習等	食事・団らん	調理	排泄	入浴	洗濯	出入口等	収納	小計	
3人	24.3	12.2	3.8	2.0	2.5	1.1	3.5	5.1	54.5	75

『住生活基本計画（全国計画）（平成28年3月18日閣議決定）』参照

天井高を2mとした場合、
居住スペース（就寝・食事・団らん）に必要な床面積は、
最低5畳、理想は10畳必要

収納スペースの大きさを100㎝の箱で測る

そのためにも、いまの家の収納スペースを活用しつくすことを意識しましょう。

そこで、収納スペースの大きさを測ります。

ここでも、100㎝サイズの箱が活用できます。実際に収納スペースに箱を持ち込み、ざっくりと箱数をカウントします。

たとえば、次のページのクローゼット。枕棚（天袋）に4箱、足元に4箱。ハンガーラックにかけた洋服は、箱に詰めた場合と比べると約2倍場所を取るため、この場合「4箱分」と数えましょう。奥行きがある押入れタイプであれば、手前と奥とで、さらに2倍収納できると計算することができます。

居住スペースにあるキャビネットや本棚、洗面所の棚、キッチンの中の収納スペースなども、この箱にあてはめて測りましょう。

メジャーで厳密に測る必要はありません。100㎝サイズの箱を近づけて、だいたいの目安を把握することが重要です。

収納スペースの大きさをざっくり測る

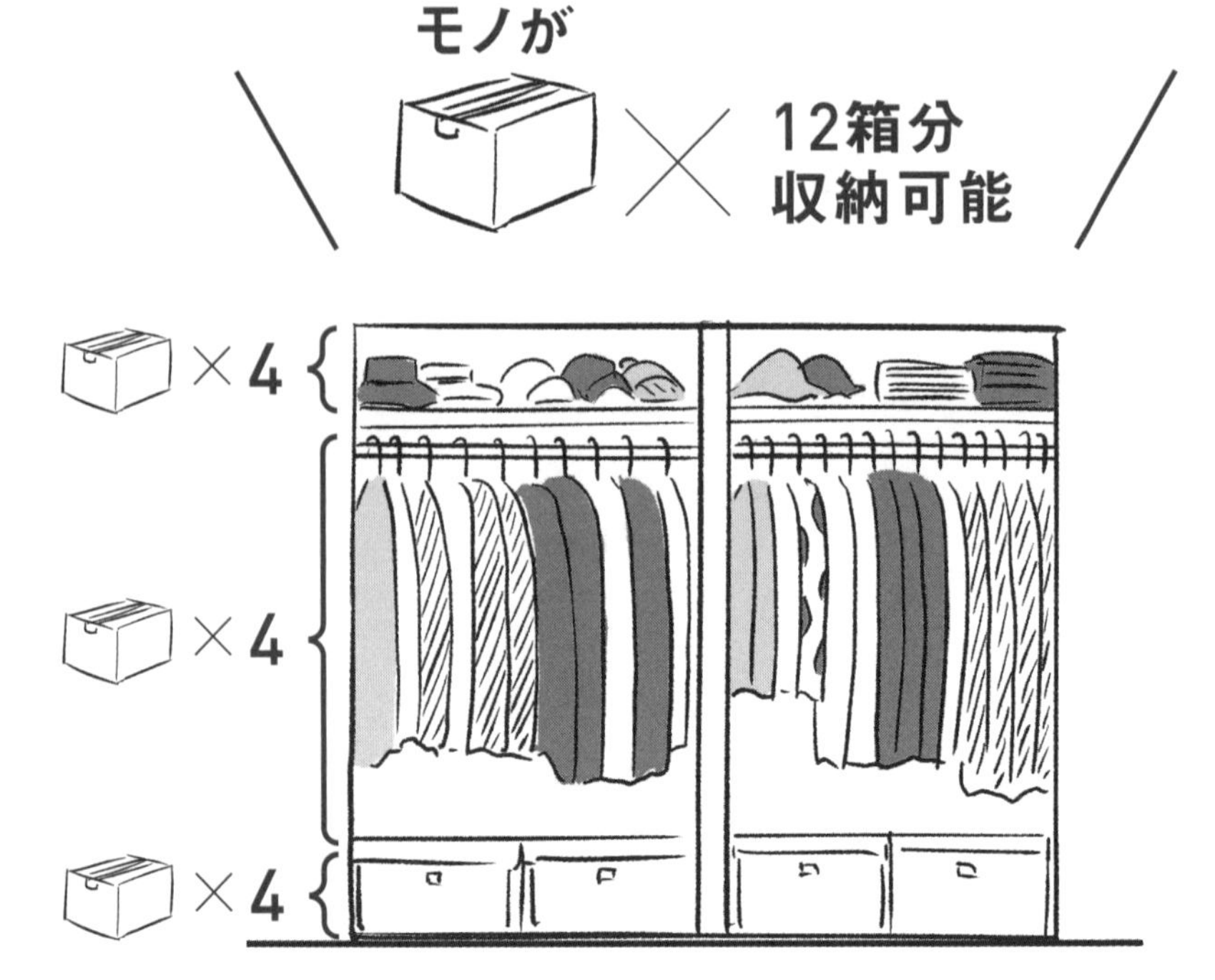

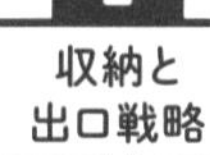

背番号に従って定位置を決め、収納する

自宅の収納量がわかったところで、P118からの整理のプロセスで分類したモノの背番号表をもとに、優先順位の高いモノから、「定位置」を決めていきましょう。

優先順位は、「今月、そのアイテムを使う可能性」、つまり「使用頻度」が軸になります。**モノへの愛は考慮せず、あくまで「使用するかどうか」の観点で考えます。**

たとえば、「卒業アルバム」と「300円で買った明日はく靴下」なら、大切なのは「卒業アルバム」ですが、部屋の取り出しやすい場所に置くなら「靴下」を優先させるべきですよね。卒業アルバムはどんなに取りづらい場所にあっても、きちっと保管されていれば、それでいいのです。使用頻度の低いモノから先に定位置を決めてしまうと、肝心の毎日使うモノが外にあふれて、出しっぱなしの状態になってしまいます。

使用頻度の高いモノから定位置を決める

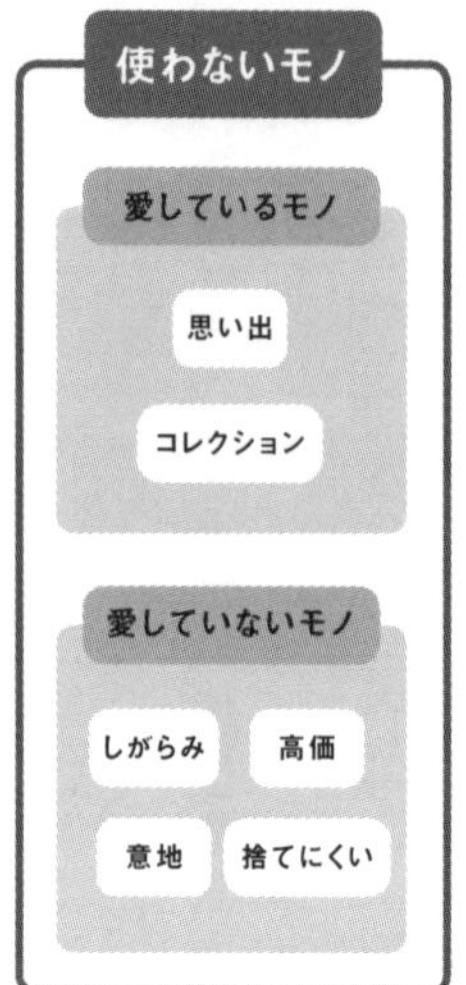

定位置を決める順番

1位 毎日・週1回以上使うモノ

2位 月1回以上使うモノ

3位 年数回、突発的に使うモノ
預かり品・季節外のモノ

4位 思い出・コレクション

「月1回以上使うモノ」は、ハンディーゾーンを定位置にする

では、まず使用頻度の高い「毎日」「週1回以上使うモノ」「月1回程度使うモノ」の定位置を決めて、収納していきましょう。

そこで大事なのが、「ハンディーゾーン」です。

使用頻度が高いモノから順に、ハンディーゾーン内に定位置を決めていきます。

「ハンディーゾーン」とは、身体的に手を伸ばしやすい可動域のことを呼びます。手を真横にピンと伸ばしてみてください。手が触れたところが、もっともモノを置きやすい「ゴールデンゾーン」。そこから上下30度ずつ手が届くエリアを、「ハンディーゾーン」と呼びます。

まずは自宅のハンディーゾーンを確認しましょう。
たとえば、片開きタイプのクローゼットの場合は、

- 中段 ＞ 上段・下段
- 手前 ＞ 奥
- 端 ＞ 中央

がハンディーゾーンになります。両開きのクローゼットの場合は、端よりも中央のほうが出し入れしやすいため、中央がハンディーゾーンとなります。

このクローゼットと同様に、キッチンの棚であれば中段、カラーボックスの1段目、押入れの左右中段、玄関のシューズクローゼットの一番取り出しやすい段などがハンディーゾーンになります。

冒頭のロードマップで、片づけは「整理・収納・整頓」の3ステップとお伝えしましたが、もっとも多く繰り返すのは、3番目の「整頓」です。

毎日使うモノは、毎日、元の指定席に戻さなければなりません。そのため、頻度高く使うモノほど、そのモノを一番戻しやすい場所に定位置を決めることで、出し入れがしやすく整頓がどんどんラクになっていきます。

整理したモノを「定位置」に収納する

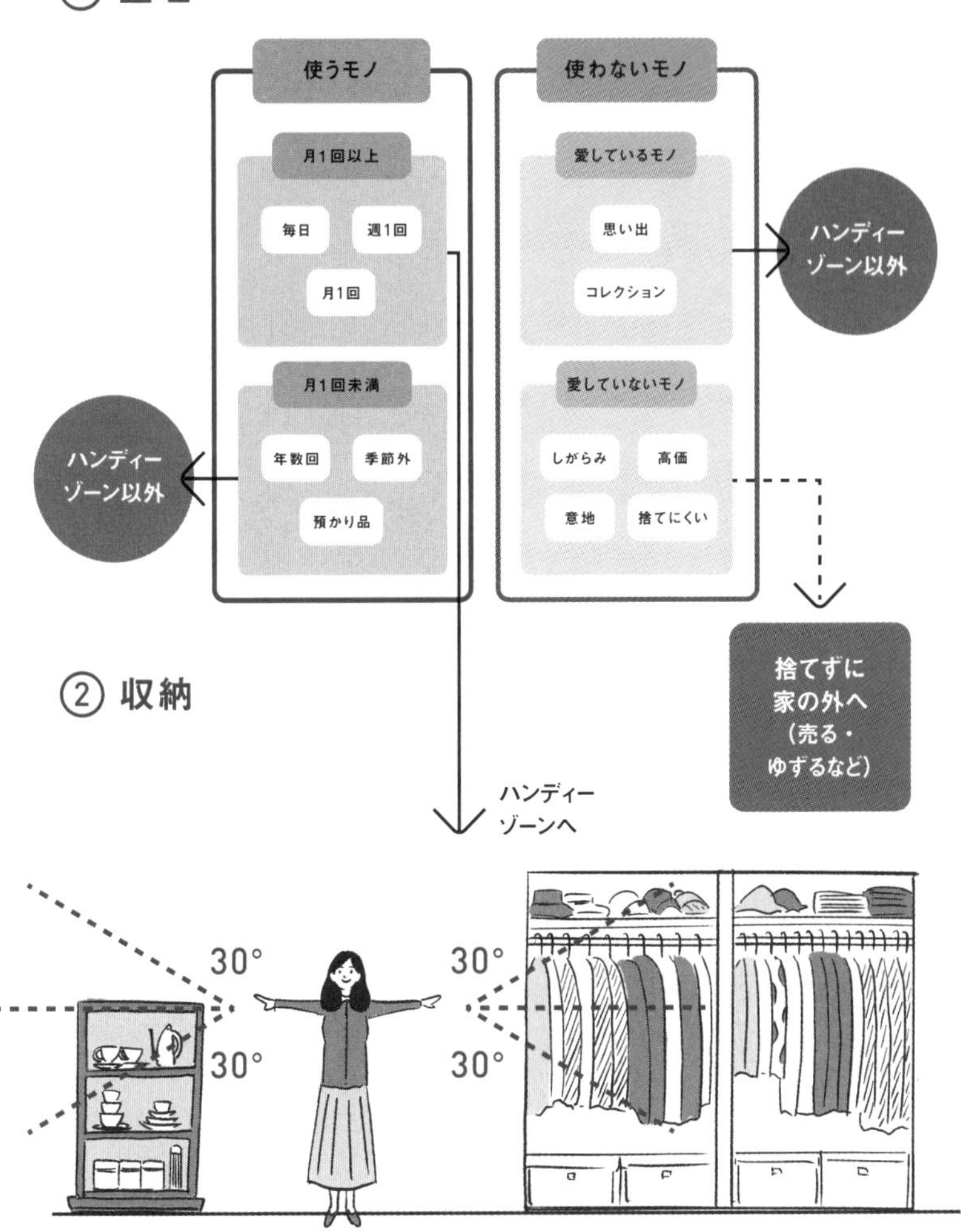

毎日使うモノなのに、ハンディーゾーンから外れた場所に定位置を定めてしまった場合、棚やイスの上など、つい定位置ではない場所に仮置きしてしまいます。

この仮置きの積み重ねが、居住スペースが散らかる最大の要因です。**出しっぱなしは、怠慢なのではありません。たんに定位置の設定が不適切なだけ**です。

大人も子どもも、時間があるときも急いでいるときも、息をするようにラクに整頓できる定位置を、ハンディーゾーンの中で決めていきましょう。

ハンディーゾーンだけはミニマリスト状態を保つ

この本の大事な収納ルールのひとつは、使用頻度の高いモノを、ハンディーゾーンに、使いやすく収納することです。

家全体をミニマリスト状態に保てるよう片づけるのはハードルが高いですが、この**「ハンディーゾーンだけはミニマリスト状態にする」**という目標であれば、できそうな気がしませんか？

とにかくハンディーゾーンの手が届く範囲はきっちりと秩序を保っていきます。

それを実現するルールについては次項からお伝えします。

また、一方で、家の中のハンディーゾーン以外の場所を「バックヤード」と呼びます。

ここは、押入れの枕棚や下段の奥、本棚の一番下の段、階段や死角のデッドスペース、ストックルーム、玄関やベランダ収納などといった「ハンディーゾーンより出し入れしづらいけれどモノは置けるすべての場所」を指します。

この手が届きにくい場所については、ハンディーゾーンのミニマリストルールを適用しません。

バックヤードに収納するモノは、写真などで中身を把握し、自分の管理下におくことができていれば、そもそも出し入れを想定しない使用頻度の低いモノなので、P165で測定した収納可能量をベースに、可能な限りギュウギュウに箱にモノを詰めて、収納します。

4

収納と出口戦略

ハンディーゾーンにミニマルに収納する

部屋全体をモノが少ないミニマリスト状態にすることは難しくても、せめて手が届くハンディーゾーンだけは、ミニマリストの収納ルールにならって、最大限使いやすく収納していきましょう。

いくつかあるルールを機械的にあてはめることで、自然と使いやすい定位置が決まります。

左ページの部屋は、一見片づいているようですが、このような収納をしていると、気を抜くとすぐに散らかりはじめてしまいます。

さて、どこがNGでしょうか?

NG部屋クイズ

気を抜くと、すぐ散らかってしまうポイントが５つあります。
さて、どこが散らかりやすいでしょうか？
答えは、次のページにあります。

正解

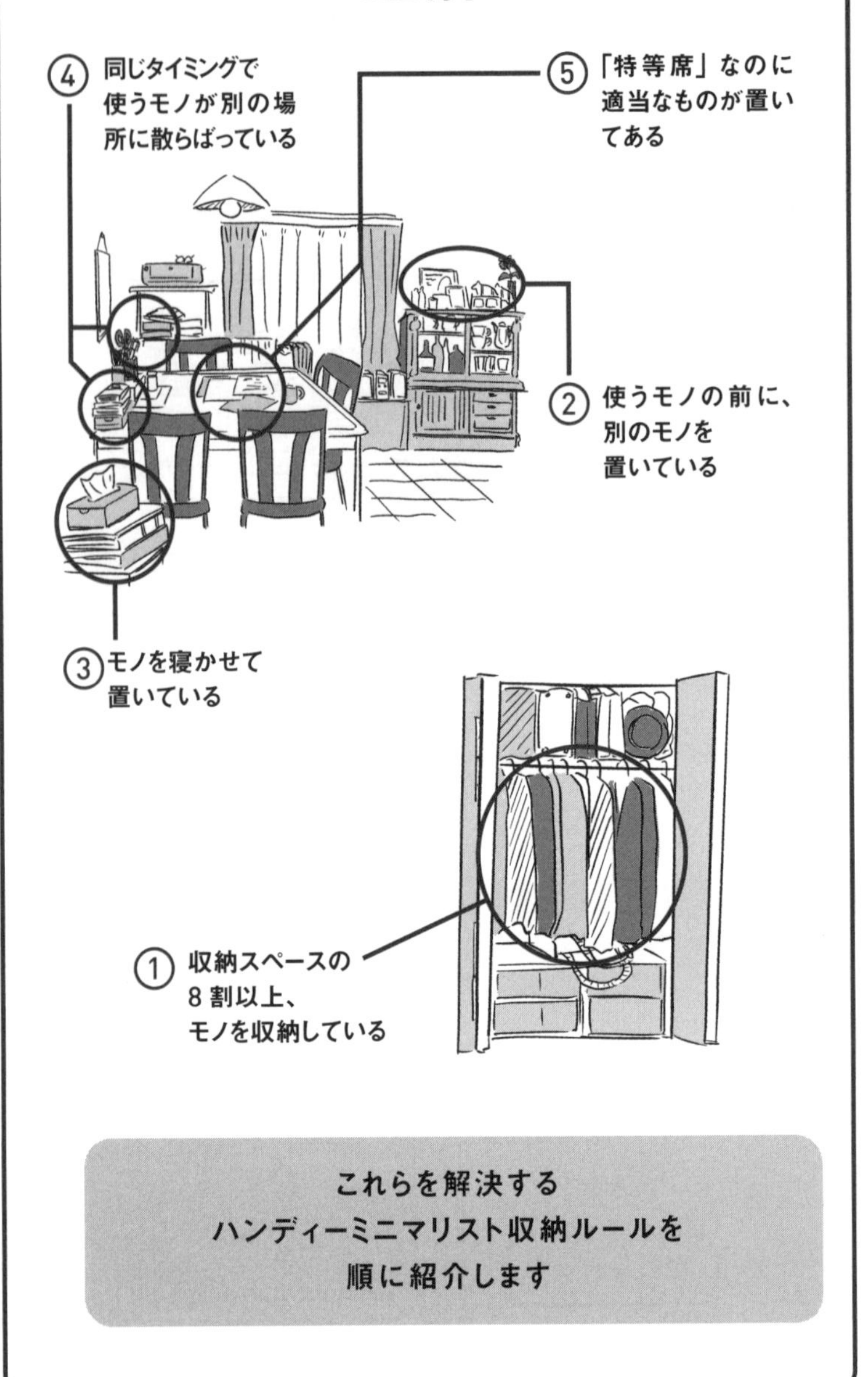
④ 同じタイミングで
使うモノが別の場
所に散らばっている
⑤「特等席」なのに
適当なものが置い
てある
② 使うモノの前に、
別のモノを
置いている
③ モノを寝かせて
置いている
① 収納スペースの
8割以上、
モノを収納している
これらを解決する
ハンディーミニマリスト収納ルールを
順に紹介します

ハンディーミニマリスト収納ルール①

収納スペースの8割以上、モノを収納しない

収納スペースに対して、入っているモノの量が多すぎるケース。容量の100％近くモノを詰めている状態は、ミニマリストではありません。

収納スペースは、常に2割分の余裕を持たせることが、ラクにきれいを維持する鍵となります。極限まで詰め込まず、収納量の8割分までしか、モノを入れてはいけません。

8割以上モノを入れてしまうと、モノの出し戻しの難易度が上がります。

また、新しいモノを購入して一時的に物量が増えたとき、余裕がないとすぐにモノがあふれ出してしまいます。

タンスやクローゼットがパンパンの方の多くが、毎日の生活で、ほとんどその中に収められている服を着ていません。

洗濯を終え、クローゼットにしまう前にソファーに一時的に置き、結局そのソファーの山の中から、今日着る服を選んでいます。コートやジャケットなどの毎日着る服も、ドアのフックや棚にハンガーをかけて、そのまま着ています。タンスもクローゼットもほとんど活用されず、部屋はいつも服が散らかっている状態です。

けれども、「平日は片づけがほとんどできない」という忙しい方も、2割分スペースに余裕があれば、多少乱暴にモノを戻しても、臨時でモノが増えた場合にも対応できるので、モノをあふれさせることなくスッキリした状態を保つことができます。

ハンガーは3㎝以上間隔をあける

8割以上詰めてしまいがちなアイテムとして、「洋服」が挙げられます。「ハンガーにかけた洋服が、ギチギチに詰められてしまっている」状態に覚えがあるのではないでしょうか。まるでサンドウィッチの具のようです。

ハンガーラックには、がんばれば何着でも服を詰められます。けれども、ギュウギュウに詰め込むと出し入れしづらく、あっという間に散らかりますし、両脇から圧力がかかることで、服の保管状態も悪くなってしまうでしょう。

そこで、洋服と洋服の間は3㎝空けて、取り出しやすさと洋服の状態保持を優先しましょう。**人の手の厚みは、片手で1・5〜2㎝。そのため、3㎝の感覚を空けることで、手を入れても隣の服にあたらず、スッと服を取り出すことができます。**風通しがよく、シワがつきにくく、出し入れが非常にラクです。

収納は8割以下にし
余裕を持たせる

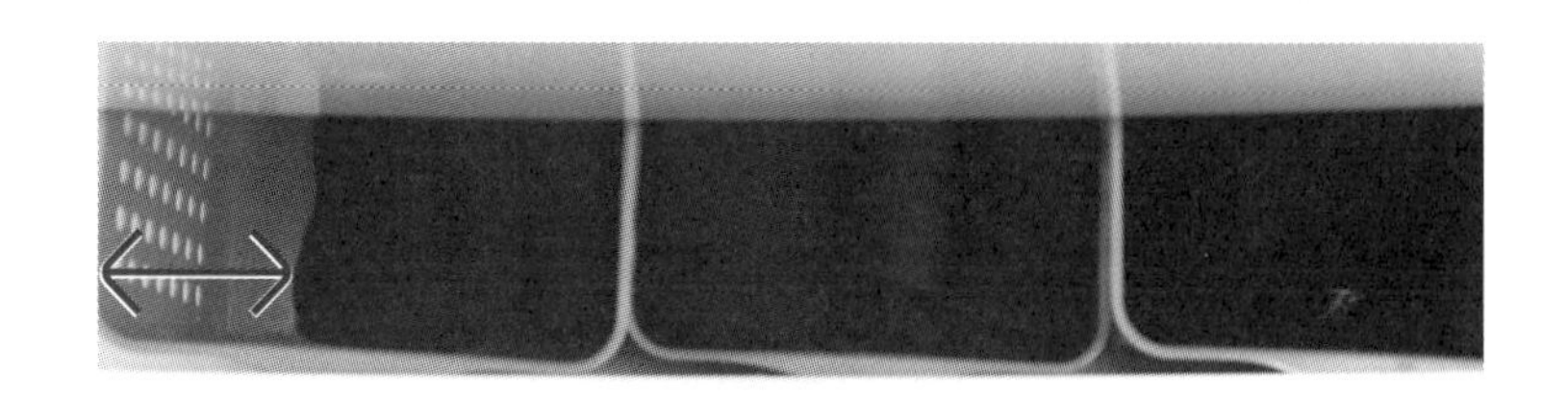

余裕を持たせ詰めすぎない

ハンガーは3cm間隔に

収納量を知るためにも、自宅のハンガーラックの長さを、メジャーで測ってみましょう。あなたの自宅にかけられる服の着数は、P156でもお伝えしたように「(ラック幅)÷3㎝」で計算できます。

一般的な一人暮らしのクローゼットは、横幅90~120㎝です。**洋服でいうと30~40着くらいかけられます。**このうち最低でも「今月使う服」は、3㎝の空間を空けて、余裕を持って収納しましょう。

クローゼットについて、もう1点。

何も衣類がかかっていないハンガーを、ラックに吊るしっぱなしにしていることはありませんか?

無駄なハンガーは、出し入れ時に落ちたり、かかっている服を傷つけたりと、悪い影響をおよぼします。スッキリとした収納状態をキープするためには、服のかかっていないハンガーを吊るしっぱなしにせず、別の場所に保管しましょう。

使っていないハンガーはトレイにまとめるなどして、思い入れがなければ適量を保つようにしましょう。

ハンディーミニマリスト収納ルール②

使うモノの前に別のモノを置かない

「使うモノの前に、別のモノを置いている」状態は、明らかに片づけ行動を阻害します。本棚に並んでいる本の前に写真立てを置いたり、書類の上に本を置いたりと、つい空いているスペースを活用したくなりますが、**使うモノが行き来する場所は常に空けておきましょう。**

モノを取り出すために必要な動作数を「アクション数」と呼びます。

たとえば、ハンディーゾーンにある本棚の本は、1アクションで出し戻しできますが、本の前に写真立てがあると、

① 写真立てをずらす

② 本を取り出す or 戻す

の2アクションとなってしまい、出し入れの工数が2倍になってしまいます。

ちなみにアクションの数え方ですが、引き出しの中の服を取るには、①引き出しを引き出す　②中の服を取る　の2アクションが必要です。

さらに、引き出しの中に同じ色の服が複数あり、「どれだっけ……」と確認する工程が入ると、たちまち5アクションや10アクションかかってしまうこともあります。

そのため、**ハンディーゾーンにあり、引き出しのない本棚やカゴは、もっとも少ないアクション数で出し入れできるので、毎日使うバッグや仕事道具、部屋着などの収納場所に最適です。**

ハンディーミニマリスト収納ルール③

モノは寝かさず、立てて収納する

洋服も、書類も、食品も、横に寝かせて重ねず、立たせて収納しましょう。

洋服を上に重ねて積んでいくと、下の服が見えず、取り出しにくくなります。下のモノを取り出すたびに山がくずれて、すぐにぐちゃっとした状態になってしまいます。

うまく自立できないモノ（ブラウス）や、小さいモノ（靴下・ストッキング）には、次のページで紹介する「収納イン収納」で、仕切りをつくると便利です。

P176のように、書類も寝かせて積んでしまうと、どこに何があるかわからず、毎回下から引っ張り出すのに苦労します。内容別にクリアファイルに分けたうえで、ファイルボックスに立てて収納しましょう。

ミルフィーユのように重ねていると、上から圧力がかかって、服にも紙にもシワがつきます。

1つひとつ独立して立たせて、必要なときは、必要なモノだけを触ること。ひとつ抜いても、他が倒れないようにすることが大切です。


冷蔵庫の調味料、ラップなどの日用品、フライパンなどの調理器具も、積極的に立てて収めていきましょう。

自立しないモノがほとんどなので、ブックシェルフやファイルボックスを活用して、空間を細かく仕切っていきます。

ボックスが大きすぎる場合には、ペットボトルや小分けケースで小さく仕切り、ボックスの中で寝ているモノがない状態を目指しましょう。

書類

ブラウスやニットなどの洋服

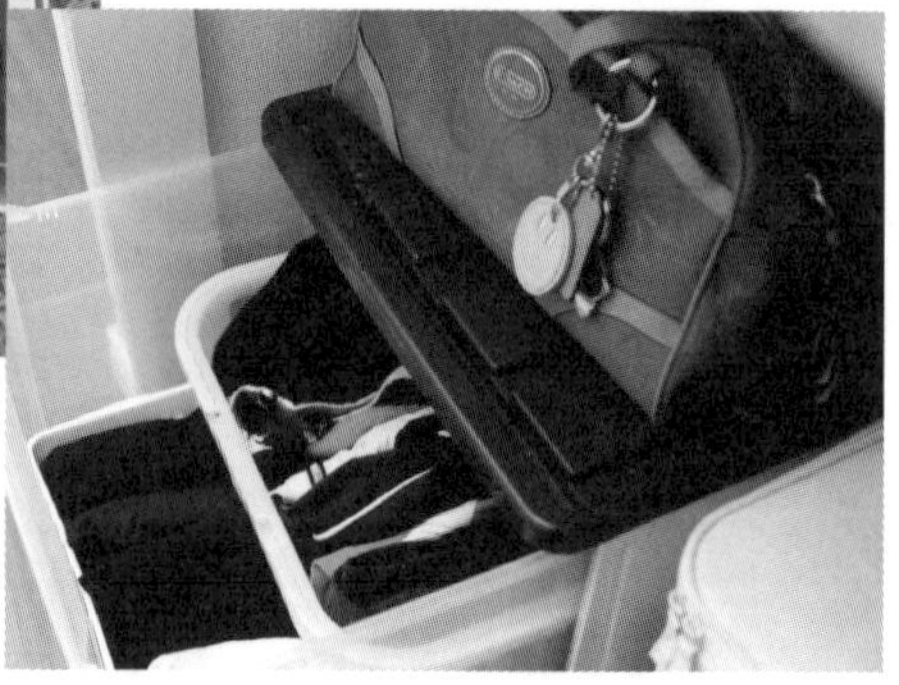

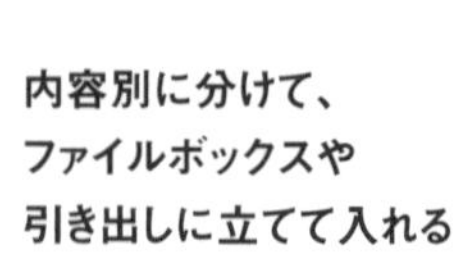

内容別に分けて、
ファイルボックスや
引き出しに立てて入れる

日用品

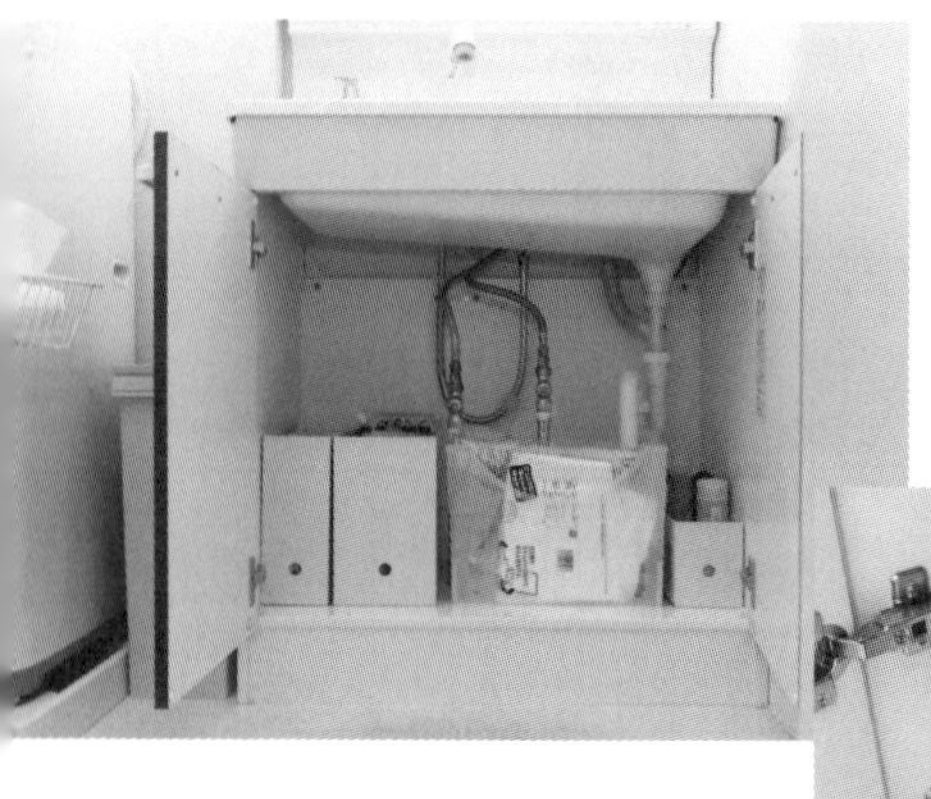

キッチン用品

1 つひとつが自立しないため、ブックシェルフなどを活用して細かく空間を仕切る

立たせて収納することで取り出しやすくなる

小さくて柔らかい布製品

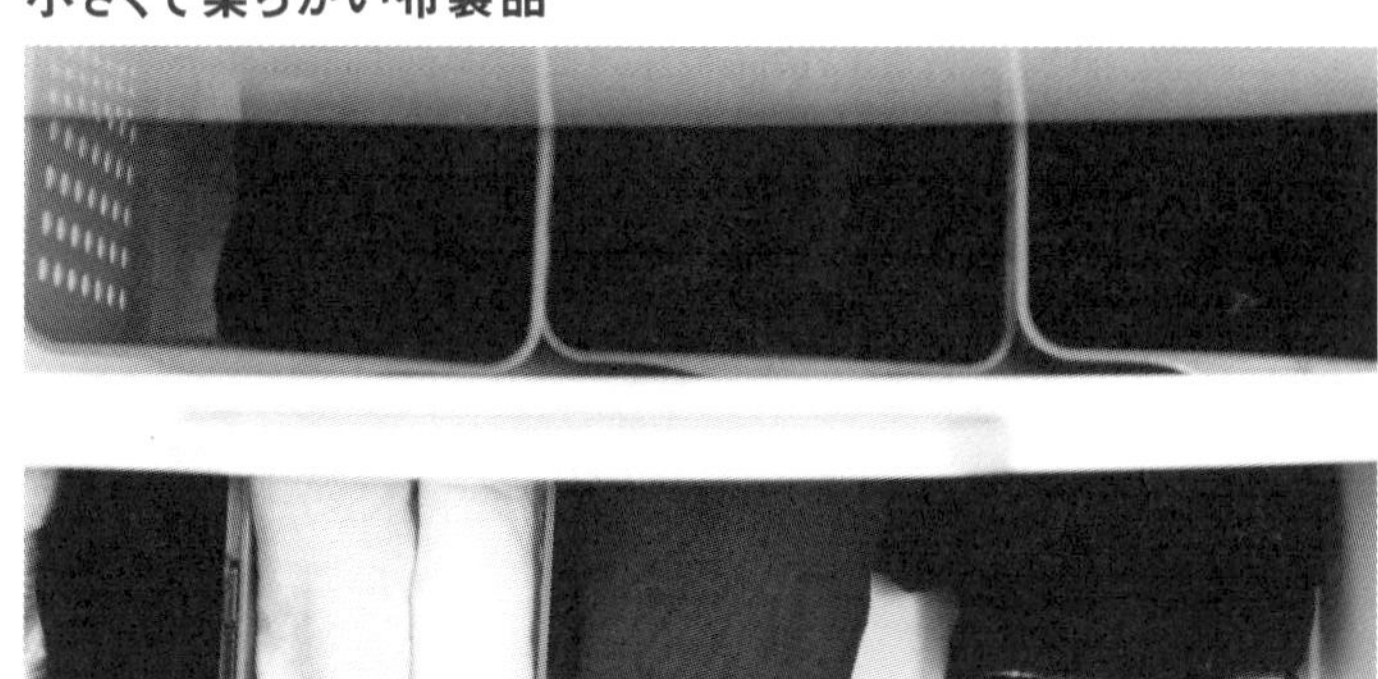

食品

細かいモノなどは「収納イン収納」で仕切りを入れる

ハンディーミニマリスト収納ルール④

使う場所の近くで、一緒に使うモノをグルーピング

必ずしも、同じ種類のアイテムを1ヵ所に集めておく必要はありません。

一緒に使うモノが違う場所にあると、日々の行動に合っていないので、一時置きや仮置きが増えていき、散らかる原因になります。

でも、同タイミングで使うアイテムを、いつも使う場所のすぐ近くを定位置として収納しておけば、必要なときにサッと使えて、使い終わったらすぐに戻すことができます。

たとえば、「封筒・便箋・筆ペン・ボールペン・切手・ハサミ」を同じカゴに入れて「お手紙セット」をつくると、いざ手紙を書こうと思ったときに必要なモノをすべて同時に出すことができ、手紙を書き終わったらすぐに片づけることができます。

玄関に、「鍵・定期券・ハンカチ・ティッシュ・マスク」をまとめて置いておくと、忘れ物防止になります。

「ガムテープ・軍手・紐・ハサミ」をカゴにまとめて靴箱に入れておけば、宅急便の梱包・荷ほどきが玄関で完結します。

このように、いいグループを思いついたら試験的にまとめてみて、あまり利用意義がなければ、組み直したり、解散させたりさせましょう。

このタイミングで大きな収納グッズを買い足すのはおすすめしませんが、100円ショップのカゴやケースは、グルーピングや仕切りになるので便利です。バッグインバッグ、のように「収納イン収納」として、タンスの引き出しや衣装ケース内の仕切りに活用するのであれば、購入してもいいでしょう。

余程インテリアが得意な方以外は、まずは「サイズが小さくて、目立たない色」のカゴから選びましょう。ちなみに、私はセリアのカゴを愛用していて、とくに「セリア　ホワイトトトリムバスケット　スリム」は、自宅でも活用しています。

カゴを選ぶときには、重さにも注意しましょう。重量があったり、ふたが頑丈で閉めにくかったりすると、その後の出し入れがしにくくなってしまいます。

まずは1、2個買って使用してみて、使い勝手がよければ買い足していきましょう。

同じタイミングで使うモノは1ヵ所にまとめて収納する

お手紙セット

・封筒　・ボールペン
・便箋　・切手
・筆ペン　・ハサミ

玄関セット

・鍵　・ティッシュ
・定期券　・マスク
・ハンカチ

ハンディーミニマリスト収納ルール⑤

もっとも置きやすい場所には、もっとも使用するモノしか置かない

床や棚の上、机の上を定位置にし、そこにモノを出しっぱなしにすることをデフォルトとしてはいけません。

とくに気をつけたいのが、「腰の高さにある机や台」です。

ダイニングテーブル、タンスやキャビネットの上、低い本棚の上、玄関の作業台などです。腰の高さの台にモノを平置きすることを基本として設定してしまうと、さっと置きやすいことから、どんどんモノが置かれていき、「一番目立つ場所が一番ごちゃっとしている」状況をつくる原因になります。

こういう場所こそ、使用頻度の高いモノの「特等席」とします。

そして、その場所に置いていいモノについて、厳しいルールを設けます。

毎日使うモノに限定し、もっとも戻しやすい特等席を準備してあげましょう。

使用頻度の高いモノは
厳選して「特等席」に配置

特等席には
使用頻度の高いモノや
愛しているモノを置く

特等席が
仮置き状態に
なりやすいなら……

つい出しっぱなしになってしまうモノは、
「仮置きボックス」に入れて、週末に定位置に戻す

たとえば、玄関の台にはカゴや箱を置き、その中に入れていいモノは「○○と○○と○○」と決めるだけで、かんたんにスッキリした状態をつくることができます。

雑多なモノをルールなく置きがちな方は、なんでも入れておいていい「仮置きボックス」をつくり、週末に正しい定位置に戻すとラクです（P233参照）。

ほんとうの定位置を見つける

月1回以上使うモノの定位置決めと収納が完了しました。

これから毎日、使うたびに、決めた定位置に戻すことになります。

定位置を決めて収納したら、ふだん使うモノの出し入れをシミュレーションしてみましょう。

「戻すのが面倒くさい」ポイントは、ありませんか？

このタイミングで少しでも「面倒くさいかも」と思ったポイントは、あとあと部屋が散らかっていく原因となります。

とくに週1回以上手に取るモノの定位置は、ほんとうに自分がその定位置を守れるかどうか、収納後に見直してみましょう。

そして、**収納後1週間程度で、実際にそのアイテムを定位置に戻すのが「面倒くさい」と感じてしまったら、潔く定位置を見直しましょう。**

いま面倒くさいことは、何ヵ月たっても、面倒くさいままです。

無理して面倒なプロセスをつづけようとしても、三日坊主でルールを破ることになってしまうでしょう。

あるべき整頓の姿は、孟子の言葉を借りるなら、「水の低きに就く如し」。**とくにがんばらなくても、自然にそこに戻るのが、ほんとうの定位置**です。

このハンディーゾーンのミニマリストルールは、あくまで「月1回以上使うモノ」をハンディーゾーンに収納するときのみ、意識してほしいポイントになります。

「月1回未満の使うモノ」「使わないけれど愛しているモノ」の収納法についてはP204から説明していきます。

5
収納と出口戦略

「月1回以上使うモノ」だけで部屋がいっぱいになってしまったら？

これまでに、「月1回以上使うモノ」をハンディーゾーンに収めてきました。

もしこの段階で、ハンディーゾーンに入りきらない（なんならバックヤードにすら入りきらない）という場合、「月1回以上使うモノ」と定義しているモノが多すぎる可能性があります。

「月1回以上使うモノ」という線引きは、じつは人によってブレやすい指標です。

- お呼ばれのときだけ着たいワンピースと、それに合わせるパンプス
- こだわりの時間に使いたいとっておきの食器
- たまに手に取りたいお気に入りの本

……などというふうに、「ふだん使いするわけではないけれど、たまに手に取っている

モノ」を、なんとなく「月1回くらい使う」と分類してしまうことがあります。

とりわけ、モノへの愛が強い方を中心に多い傾向です。

そこで、「月1回くらい使う」と分類したモノを、前回使ったのがいつか、具体的に思い返してみましょう。

自分では「月1回くらい使う」と思っていても、実際には2〜3ヵ月に1回しか使っていなかったりするものです。

振り返ってもよく思い出せない場合は、「今月使う可能性が高いか？」と言い換えてもよいでしょう。

たとえば、私には「月1回以上はきたい」と思っていたスカートがありましたが、タイトな形状でおなかがきつく感じ、実際には年に数回しかはきませんでした。

「使いたいと思ってはいるものの、何かの事情で頻繁には使わないモノ」は、誰にでもあります。今後頻繁に使うようにあらためるか、それが難しければ「月1回以上使うモノ」から外すようにしましょう。

「どうしても使いたいモノ」が多い人は収納できる「ハンディーゾーン」を増やす

洋服や食器、本をコレクションしている方は、「その日の気分で使いたいモノが変わる」というケースもあることでしょう。

より具体的に、どういう気持ちのときに、そのモノを使うかを考えます。

そして、その気持ちになる機会が今月訪れるかどうか、よく考えてみましょう。

厳密に月1回以上使うモノに絞ったうえで、「ハンディーゾーン自体が小さすぎる」という場合は、自宅の**居住スペースの面積が十分に広いことを確認して、棚を購入し、ハンディーゾーンの収納スペースを増やすこと**を考えてみてください。

私の部屋では、押入れに加えて、カラーボックス2つと、洋服タンスを1つ居住スペース内のハンディーゾーン収納として増やしました。

ただし、ライフスタイルの変化により、使うモノの量が増減するため、なるべく小型の収納グッズを購入することをおすすめします。

また、厳密に使用頻度を考えた結果、使用頻度が低いと認識したモノは、「月1回未満の使うモノ」「使わないけれど愛しているモノ」の収納ルールに従います。

6
収納と出口戦略

「使わないし、愛してもいないモノ」は、4つの方法で外に出す

「月1回以上使うモノ」を収納したら、次に手をつけるのは、背番号表の「使わないし、愛してもいないモノ」です。

このグループにあてはまったモノは「家の外に出すことで幸せになれる」のですが、状態が悪くない場合、捨てる必要はありません。捨てる以外の方法で、外に出していきましょう。出口としては、4種類あります。

【状態がよいモノ】

① 売る

② ゆずる

③ 寄付

【状態が悪いモノ】

④ 捨てる

「高価」「しがらみ」で手放せないモノは、「売る」

そのモノを所有している理由が、**「高価」「しがらみ」に分類されたモノは、「①売る」という出口がフィット**します。

「①売る」のサービスは、いくつか馴染みがあるかもしれません。

大きく分けると、「メルカリ」「ヤフオク！」などのフリマアプリ型と、「ブランディア」「ブックオフ」などの買い取り業者型の2種類が存在します。

フリマアプリにふだんから慣れ親しんでいる方は、そのための箱を用意しましょう。

希少価値があるモノや、ニッチなカテゴリのモノは、個別にフリマアプリに出品すると、思わぬ高値がつくこともあり、モノの価値を理解してくれる相手に気持ちよくゆずることができます。

たとえば、私の友人がボードゲームを売りに出したところ、子育て中のママさんに

5000円で買い取ってもらうことができ、あたたかい気持ちで手放すことができたそうです。

一方で、今日までフリマアプリをやったことのない方や、面倒くさがりの方には、「買い取り業者型」をおすすめします。

私自身も面倒くさがりで、「今日一日で手放してしまいたい！」という気持ちが強いので、フリマではなく、即、買い取り業者に宅配便で送ってしまいます。

洋服（ブランディア）や本（ブックオフOnline）などの買い取り業者は、箱に詰めて送ると（送料無料）、すみやかに査定をしてくれるので、すぐに売上金を受け取ることができます。

とくに、モノへの愛着が強い方のクローゼットを片づけるとき、ブランディアの存在は絶大です。

以前、ブランドものの洋服をたくさん持つ女性のご自宅を片づけたことがあります。その方は、多くのブランドものをお母様からゆずり受けていたものの、本人はまったく着ることはなく、タンスの肥やしとなっていました。

「使っていないなら処分しませんか？」と提案すると、「高価なモノなのに、捨てるなんてとんでもない！」と明らかな拒否反応を示していました。

しかし、ブランディアの箱を組み立て、「これは、クローゼットに残しますか？　ブランディアしますか？　それとも捨てますか？」と三択で聞いていくと、「じゃあ、ブランディアします」と、気持ちよく手放すことができたのでした。

大型家具などの大きなモノは「ジモティー」に出品しましょう。料金を支払って粗大ゴミとして出すよりも、近所の方に活用してもらったほうが、そのモノがこのあとも生かされるという安心感を得ることができます。

「しつけ」「迷信」「小さい」に分類されるモノは、「ゆずる」か「寄付」

所有の理由が、**「しつけ」「迷信」「小さい」に分類されるモノは、「②ゆずる」という出口がフィット**します。

たとえば私は、「小さい」という理由で、ついボールペンやクリップ、ハサミなどの文房具をため込んでしまうのですが、職場やイベントに積極的に持ち込んで、必要な人にゆずって活用してもらうようにしています。

ぬいぐるみや日本人形など、捨てると良心が痛むモノの場合は、プロに任せて供養してもらうという選択肢もあります。日本人形協会が運営する「人形供養代行サービス」など、宅配便で送るだけでプロが責任を持って手放してくれるサービスもあります。

モノによっては、「③寄付」もオススメです。

たとえば、文献として貴重だと感じていて手放せない本は、近所の図書館に寄贈しましょう。

書籍の価値を一番理解している司書さんが、適切なかたちで本を取り扱ってくれます。再び自分がその本を見返したくなったときは、また図書館に行けば読めるというのもメリットです。寄贈可能な本の種類は、図書館ごとに規定があるので（たとえば、マンガはNGなど）、持ち込む前に図書館のホームページをご確認ください。自分の家で眠らせておくより、地域の方の役に立ち、その本の価値を最大化することができます。

ほかにも、「ECO Trading」のおもちゃ寄付サービスや「古着deワクチン」など、発展途上国の子どものために、モノを寄付できるサービスもあります。ユニクロやGAPの店舗でも、不要衣類の回収プロジェクトを行っています。

「使わないし、愛してもいないモノ」は感謝を込めて手放す

①売る

高価なモノ・しがらみのあるモノはお金に変えてしまう

②ゆずる

捨てにくいモノ・重複しているモノは、人にゆずる

③寄付

貴重な本や古着は、どこかに寄付して役立ててもらう

④捨てる

こわれていたり、汚れているモノは、これを機に、思い切って捨ててしまう

もっと手軽な行動として、ツイッターやインスタグラムで、ゆずりたいモノを写真に撮り、友人たちをはじめとした「つながっている人たち」に紹介するのも、多くの人に声かけができておすすめです。片づけをきっかけに、寄付に一歩踏み出してみましょう。

手放す期日を決める

このように4つの出口のうち、それぞれを決めたら、「手放すまでの締め切り」を設けましょう。使いもしないし、愛してもいないモノをいつまでも部屋に置いておくのでは、せっかくモノを整理した意味がありません。

目安は、3週間以内に家の外に出し切ること。

P103で立てたスケジュールに沿って、すべての片づけが終了する日を基点に、それぞれの出口ごとに、モノを手放す締め切り日を決めておくといいでしょう。次の作業リストを活用してみてください。

締め切り日を決めたにもかかわらず、手放せていないアイテムがあるかもしれません。そのような場合は、「締め切り日になっても目処が立たないモノは、思い切って捨てる」というルールを定めておくと、片づけが完了します。

それぞれの出口ごとに手放す期限を設けよう

作業チェックリスト

	具体的な作業	いつまでに
売る	□ 売却サービスで集荷をかける (ブランディア/ブックオフなど)	／
	□ フリマアプリに出品する	／
ゆずる	□ 受け渡しの手配をする	／
寄付	□ 寄贈先を見つけ、手配する	／
捨てる	□ 普通ゴミに出す (燃えるゴミ・プラスチック・びん、缶・紙・段ボール・危険物)	／
	□ 粗大ゴミに出す	／

7
収納と出口戦略

バックヤードの収納は、効率よく詰めて「見える化」して管理する

背番号表のうち、「月1回以上使うモノ」の収納先と「使わないし、愛してもいないモノ」の出口を決めることができました。

最後に、「月1回未満の使うモノ」「季節外のモノ」と「使わないけれど愛しているモノ」の定位置を決めて、「バックヤード」に収納していきます。

これらの収納方法のコツとしては次の3つです。

① 中身を記録する（写真に撮る）
② 箱に詰める
③ 収納場所と中身がわかるように記録しておく

「月1回以上使うモノ」を収納したハンディーゾーンでは、「ハンディーミニマリストルール」を適用し、「容量の8割以上詰めない」「手を入れられる間隔を空ける」などといった使いやすくするための作法がたくさんありましたよね。

けれども、基本的にバックヤードは「今月使わないモノ」を収納する定位置になるため、取り出しやすさを気にする必要はありません。

そのため、モノを箱に詰めて収納します。そうすることで、積載効率がよくなり、少ないスペースでも多くのモノを収納することができます。

バックヤードの収納量を測る

いま残っている収納スペースが、あなたの自宅の「バックヤード」です。

手が届きやすいハンディーゾーンの収納スペースは、「使うモノ」ですでにいっぱいになっていることでしょう。

残っているのは、押入れの枕棚や奥、棚の上や下、キッチンや廊下のデッドスペース、ベランダや玄関先の物入れなど、「手は届きにくいけれどモノは置ける場所」です。こういった場所こそがバックヤードです。

バックヤードの収納スペースをかき集めると、100㎝サイズの箱の何箱分に相当するか、ざっくり測定します。

バックヤードの総体積が、「月1回未満の使うモノ」「季節外のモノ」「使わないけれど愛しているモノ」の総量を上回っていれば、すべてのモノが家に入りきります。

収納したいモノがバックヤードの収納量を上回る場合は、あらためて「ほんとうに使う予定があるのか？」「ほんとうに愛しているのか？」を吟味し、物量を減らせないかどうか検討します。

減らせないときも嘆く必要はありません。箱単位で使えるトランクルームサービスで、オプション的にバックヤードを拡げるという方法もあります。これについては、後ほどP212で説明します。

また、居住スペースが十分に広ければ、収納家具を買い足して、あふれたモノの収納スペースを確保することもできます。ただし、P164の快適にくつろげる水準の面積を確認してください。安易に居住スペースを削ってしまうと、その分、日々リラックスできるスペースが減ってしまいます。収納家具の購入にもコストがかかるうえに、一度買うと手放しづらくなるので、購入は慎重に。そして大前提として、**ハンディーゾーンに配置した「月1回以上使うモノ」は、もう動かさない**でください。

よく、「月1回未満の使うモノ」「季節外のモノ」「使わないけれど愛しているモノ」を収納しはじめると、「バックヤードに収まらない」という理由で、使用頻度の高いモノと交ぜたり、より目立つ場所に置いてしまったりすることがありますが、せっかく周到に行った「月1回以上使うモノ」のミニマリスト収納が台無しになってしまいます。

あくまで部屋は、使うモノが使いやすい状態にあることを最優先にします。

箱の中身を「見える化」し、収納した場所がわかるように管理する

バックヤードにモノを収めるときは、モノをきっちり箱に詰めていきますが、気をつけていただきたいのが、「管理」の視点です。

箱に詰めることの難点は、外から中身が見えにくいことです。

愛しているモノも使用頻度の低いモノも、持っていること自体を忘れてしまっては、所有している意味がなくなってしまいます。「どの箱にあったっけ?」と、箱を引っ張り出して探すのも大変ですし、探している最中に部屋が散らかってしまった……なんてことも

あるでしょう。重複して同じモノを買う悲劇も生まれるかもしれません。

「どこに何があるか」を把握しておくために、自分の頭で覚えるよりも、写真で見える化して管理しましょう。

次が、管理方法の手順です。

① モノを全部出して背番号をつけ終えた時点からスタート（整理完了時点・P119参照）
② ①の時点で1点ずつモノの写真を撮影しておく（あるいは全体写真でもOK）
③ 収納用の箱を用意し、中身がわかるようにタイトルをつけてラベルシールをはる（季節外・家族の名前・番号など）
④ ③でつけたタイトル＋収納場所（枕棚、玄関上収納など）の名前でパソコンやスマートフォン上にフォルダをつくり、②の写真を収めておく

これで管理の準備は完了です。スマートフォンやパソコンでは、DropboxやGoogle Driveなどを使い、この管理を行うと便利です。

バックヤードと管理方法についてクリアになったところで、それぞれの背番号に従って収納場所を決めていきます。

8

収納と出口戦略

「月1回未満の使うモノ」「季節外のモノ」を収納する

「突発的に必要になるモノ」を優先的に部屋に配置する

たとえば、同じ使用頻度の低いモノでも、たこ焼き器は「突発的」に、ひな人形は「計画的」に使うモノです。

突然友だちが家にやってきて、「たこ焼きをしよう！」となることはありますが、3月でもないのに「ひな人形を飾ろう！」とはなりませんよね。

しかし、「あっ！　あれ使いたいな」と思ったときに、モノが手に届く場所にないと、片づけたこと自体を後悔しはじめます。

後悔が起こる頻度は年に数回なので、「そんな小さな後悔よりも、部屋が広くなる喜びのほうが大切だ」と考えられるミニマリストタイプの人は、突発的にしか使わないモノを捨ててしまってもいいと思いますが、モノへの愛着が深かったり、そのモノによる体験自体にこだわりのある方は、「片づけなんかするんじゃなかった」と落胆するはずです。

そこで、**突発的に使う可能性があるものは、家の中の「目には見えるが、手が届きにくい場所」にまとめておく**のがいいでしょう。

たとえば、「押入れの枕棚」がこれにあたります。枕棚は出し入れがしにくいので、使用頻度が低いモノにぴったりの保管場所です。そのほか自宅に床下収納やベランダ・玄関先収納がある方も、同様の保管場所として使えます。

私の家にも、突発的に必要になるモノがいくつかありますが、母が来るときに使う母のルームウェアやふとん、冠婚葬祭用のバッグや小物をまとめたケースは、枕棚に入れています。

枕棚収納の難点としては、夏場は湿気がこもりやすく、換気しにくいため、写真やアルバム、革製品、デリケートなコレクション品の保管には向かないことです。

梅雨の時期は、押入れの中に湿気が充満し、枕棚に置いたモノにカビが生えてしまった……なんてことも頻発します。デリケートな衣類やふとんは、防虫剤とともにケースに入れて、押入れの下段に入れましょう。「エステー」が販売している圧縮パックは、防虫できるうえにカサも2分の1にできるので、一石二鳥です。

しかし、こうして一度保管場所に収まってしまうと、突発的に使うタイミングが自然と来なくなったとき、そのまま存在自体を忘れて死蔵品化してしまうケースがあります。

そのため、P204でお伝えした「収納する前にとった記録」を季節ごとに見返すようにしましょう。年に一度も使っていないと気がついたモノは、P219で後述する「レンタル」などの手段を活用し、手放すことを検討します。

「季節外のモノ」「使用時期が決まっているモノ」は家の外に出して管理する

季節外の洋服やふとんなどは、部屋の収納スペースに余裕があれば、圧縮してバックヤードに入れるのが基本です。

しかし、**バックヤードのスペースが足りず、部屋に入りきらない場合は、次のシーズンが来るまで「外部収納サービス」に預けて、部屋から出して管理する**のもおすすめです。

外部収納サービスとは、いわゆる「トランクルーム」と呼ばれる、外部の収納スペースと契約してモノを預けるシステムです。

このサービスを選ぶとき、自宅のバックヤードと同じ使い勝手で使えるように、次の2点を重視して選んでみてください。

① 預けたモノの中身を写真で管理できること

② 預けたモノが必要になったときに簡単に取り出せること

「とりあえず詰め込んで、預けて、そのあとは管理しない」という使い方では、せっかく預けたモノも死蔵品と化してしまい、いたずらに費用ばかりがかかってしまいます。

また、自宅近くにスペースを借りて、自分で車を使って出し入れする「レンタルスペース型」よりも、宅配便で荷物を預け入れて、スマートフォンやパソコンからモノの出し入れの指示ができる「宅配型」のサービスのほうが、「取り出すときの労力・コスト」が発生しません。

預け入れる土地の地価と、収納サービスの利用料は比例するので、より経済的に預けた

い場合は、自宅よりも地価の安い地方都市で預かるサービスを選ぶことをおすすめします。

収納サービス「サマリーポケット」は、私の勤務先のサービスでもあるため手前味噌ですが、「ボックス1箱　月額250円～」というトランクルーム業界最安値の価格で利用することができます。そのため、部屋のバックヤードの収納スペースが足りない分を補填するという目的にもマッチします（都市部の家賃と比較してもだいぶ安いです）。

また、預けたモノを見える化して管理できるのも便利です。利用者から発送されてきた預け入れの荷物の箱を、スタッフが倉庫で開けて、1点ずつ写真撮影し、利用者の方と共有するシステムなので、自分が何を預けたか、スマートフォンでいつでもチェックすることができます。

預けたあとも、スマートフォンからの操作で、クリーニングやシューズリペアに出すことができたり、手放したくなったら「おまかせヤフオク！出品」機能でかんたんに手放せたりするなどのオプション機能もついています。

このように外部のバックヤードに収めたモノのメンテナンスがスマートフォンで完結することで、自分の家の中のバックヤードで、自ら管理するよりも、時間的・精神的に、格段にラクをすることができます。

私も、このサービスを利用しています。愛しているモノの量が、自宅の収納スペースよりもだいぶ多かったので、季節品（洋服・ふとん・レジャーグッズ）と、思い入れのある品（本・卒業アルバム・雑誌のバックナンバー）など「ダンボール6箱分」のモノを預けています。

とくに、季節外の洋服の管理が、非常にラクになりました。

これまで衣替えというと、

①季節の変わり目にすべての服をクリーニング店に出す

②クリーニング店から回収する

③自宅のバックヤードから箱を出してきて服を入れ替える（オンシーズンの服をハンディーゾーンへ、オフシーズンの服をたたんで箱に詰めてバックヤードへ）

というフローに面倒くささを感じ、ついつい先延ばしにしていました。

けれども、季節外のモノを外部収納サービスに預けることにシフトしてからは、

①気温が変わりはじめたら箱の取り出しボタンを押す

②届いた箱からオンシーズンのモノを出し、オフシーズンのモノを同じ箱に詰め、また外部収納に送り返す

というステップで衣替えが完了するので、時間的・精神的負担が大きく減りました。

外部収納サービスを使い、
バックヤードを外に持つことのメリット

本

季節外

- 自宅の収納スペース分の家賃より、割安に預けることができる
- 自宅バックヤードに収納するよりも、モノの管理がラクになる
- 探しものをすることがなくなる
- 売ったり、クリーニングに出したりするメンテナンスの手間が減る
- 家のスペースを有効活用できる

**自宅に収納するよりも、
管理がラクになる**

預けているモノは、季節ごとに1点ずつ振り返りながら管理し、それと同じタイミングで自宅のバックヤードに詰めたモノも振り返ることにしているので、結果的に「死蔵品」をなくすことができました。

もし、この預けているダンボール6箱分のモノが、すべて家の中にあったら……。入りきらなかったモノを居住スペースの床にゴロゴロと置いておくか、より広い家に引っ越すか、捨ててしまうかしか、ありませんでした。

もちろん6箱分のモノを預けるには、家賃にプラスして月額2000円を支払う必要はありますが、居住スペースを存分に使って、広々と快適な生活を送れるのは大きなメリットです。P37で先述しましたが、都市部の住宅家賃は高く、経済的理由から、十分な収納スペースを確保できる家を見つけることは、なかなか難しい状況です。

収納スペースを広げるために払うべき家賃と比べると、トランクサービスの月額使用料は割安ともいえます。

まずは夏物冬物1箱分から、家の外で管理してみると、収納の概念が大きく変わりますよ。

「使わないけれど愛しているモノ」が多すぎて収集がつかないときは？

コレクションアイテムは、「使わないけれど愛しているモノ」にあたります。

これらは、使うために所有しているモノと比べると、アイテム数が非常に多く、また素材がデリケートであるため、適切な管理が難しいモノたちです。

とくに紙類、CD・DVD、写真、フィギュアなどは、枕棚や押入れの下段など、湿気のたまりやすい場所に置くことは避けたほうが無難です。ダンボールに詰めて押入れに収納しておくと、カビが生えたり、変色したりする危険があります。

保管環境を最優先に考えた場合、2つの方法を併用しながら管理するしかありません。

①コレクションアイテムをたくさん家に置く代わりに、洋服や日用雑貨などのほかのカテゴリのモノを家に置くのをあきらめる

②愛着の強い一部のコレクションアイテム以外は家の外で管理する

基本的に「捨てる」という選択肢は取りたくないものですが、愛が薄いモノが交じって

いないか、あらためてチェックしましょう。「自分が持っていなくてもいいや」と思えるモノは、SNSで募って友だちにゆずったり、買い取り業者やフリーマーケットで売って、ほかの人に使ってもらいましょう。

私が片づけをお手伝いしたボードゲームマニアの方は、ご自身が持っているゲームをExcelで管理し、定期的にそのリストをご友人に公開しながら、仲間同士で頻繁にゆずり合いをしていました。

さて、ゆずれるものを手放した段階で、コレクションアイテムは何箱分残っているでしょうか?

まず、「毎日見たいモノ」は、インテリアとして飾ります。ただし飾りすぎると、すぐにホコリがたまり、管理が大変なため、5アイテム程度に絞りましょう。

この5アイテム以外を外に出して管理するなら②になります。

ただ、どうしても手元に置きたいお宝のコレクションアイテムは、箱数を絞って、部屋の安全な場所に保管しましょう。その場合、①の方法をとり、思い切って洋服や家電をレンタルサービスに切り替え、場所を空けるのもいいでしょう。

レンタルについては、次の項目で説明します。

9
収納と
出口戦略

そこまで好きではない「たまに使うモノ」はレンタルで代用する

「年に数回使うモノ」は、「毎日使うモノ」と同じくらい、部屋の面積を取っています。
あまり思い入れのないモノであれば、これからレンタルで代用するのもひとつの手です。

私は結婚式用のドレスを1着しか持っていないのですが、最近結婚式に参列する機会が増えたため、2着目を買い足そうか迷っていました。

しかし、ドレスは使用頻度が低いため、レンタルサービスを活用することにしたところ、クリーニング代も不要なので、メンテナンスコストがなくなりました。

さらにパーティードレスに加えて、「流行りの洋服」も、レンタルサービスに切り替えました。ベーシックなデザインの長く着たい服は自分で購入しますが、「流行っているから1回は着てみたい」という服は、レンタルで気軽に体験することにしています。

もともとファッションセンスに自信がなく、流行を取り入れようと新しい服を買っても失敗ばかりだったのですが、こういったレンタルサービスのおかげで「流行を追うための服は買わない」というマイルールをつくることができました。

また、家電についても、ジュースメーカーやフライヤー、美顔器などといった流行りの家電は、ひと通りレンタルして試してみることにしています。


もちろん、「突発的に使うモノはすべてレンタルせよ」というわけではありません。


先日キャンプに精通されている方のご自宅を片づけたところ、ご自宅にはテントやキャンプ用チェアをはじめ、20個以上の「Colemanグッズ」がずらりと並んでいました。

その方は、年に3、4回しかキャンプに行かないため、使用頻度の視点では、キャンプ用品は突発的に使うモノになります。

しかし、コレクターとしてColemanグッズ自体を愛しており、ふだんから眺めているだけで、うれしく満足感を得られるそうです。

つまり、その方にとって愛が深いColemanグッズは、レンタルで代替できるモノではありません。

先ほどお伝えした私にとってのファッションや家電のように、自分の愛がそれほど深くないカテゴリの突発品は、無理して買わずにレンタルに置き替えることで、家も心も身軽になっていきます。

「勢いで買って失敗した」という経験を防ぐことができますし、「流行のモノをいち早く試す」という楽しさも、味わうことができるかもしれません。

このステップの最後に、おさらいとして、ここまでに紹介したさまざまなレンタルと出口サービスについて、まとめておきます。

自分に合うサービスを利用してみてくださいね。

レンタル&出口サービスリスト

ネットオークション・フリマサービス **ヤフオク!** 売る https://auctions.yahoo.co.jp/ **オススメポイント** 高価なモノや人気のモノなど。	ネットフリマサービス **メルカリ** 売る https://www.mercari.com/jp/ **オススメポイント** 手軽に送品したい方に。
SNSサービス **Twitter/Instagram** ゆずる **オススメポイント** 友人や近しい人にゆずるときに。	人形供養代行サービス **日本人形協会** 寄付 http://www.ningyo-kyokai.or.jp/ **オススメポイント** 人形などを手放すときに。
おもちゃ寄付サービス **ECO Trading** 寄付 http://www.ecotra.jp/ **オススメポイント** 使わなくなったおもちゃを手放すときに。	古着寄付サービス **古着deワクチン** 寄付 https://furugidevaccine.etsl.jp/ **オススメポイント** もう着ない古着の整理に。
不要衣類回収プロジェクト **UNIQLO/GAP** 寄付 **オススメポイント** お近くに店舗がある方に。	**図書館** 寄付 **オススメポイント** 本をシェアしたいと思う方に。
ファッションレンタルサービス **エアークローゼット** レンタル https://corp.air-closet.com/ **オススメポイント** 流行りの服を着たい方に。	貸し借りサービス **アリススタイル** レンタル https://www.alice.style/ **オススメポイント** 購入前に試してみたい方に。

column

実家にモノを預けっぱなしにしてはいませんか？

私たち日本人は、実家に荷物を預けていることが、たいへん多いものです。

2019年8月、株式会社サマリーにて、実家に置きっぱなしになっているモノについてのアンケート調査を行いました。

驚くことに、独立した子どもの4人のうち3人が、実家にモノを置きっぱなしにしていることがわかりました。半数以上が「押入れ1個分以上」の量を預けています。

押入れ1個分以上となると相当の量ですが、このうち大半の方が「独立したときから、ずっと同じ量を置きっぱなしにしていた」ようです。

大学進学や就職で実家を離れる際に、整理しきれず持っていけなかったモノが、そのままになっているのでしょう。

ちなみに、置きっぱなしにしているアイテムとしては、本・洋服・思い出の品が上位を占めます。ほかにも、コレクション品・スポーツ用品・ふとんなどもありました。

確かに、私の周りでも、「卒業アルバムや高校時代の思い出は、全部実家に置いてきた」「衣替えのたびに、季節外の洋服とふとんは実家に送っている」という声を聞きます。

子どもは「実家」に
モノを預けている⁉

Q 自宅に、お子さんが置きっぱなしにしているモノはありますか？

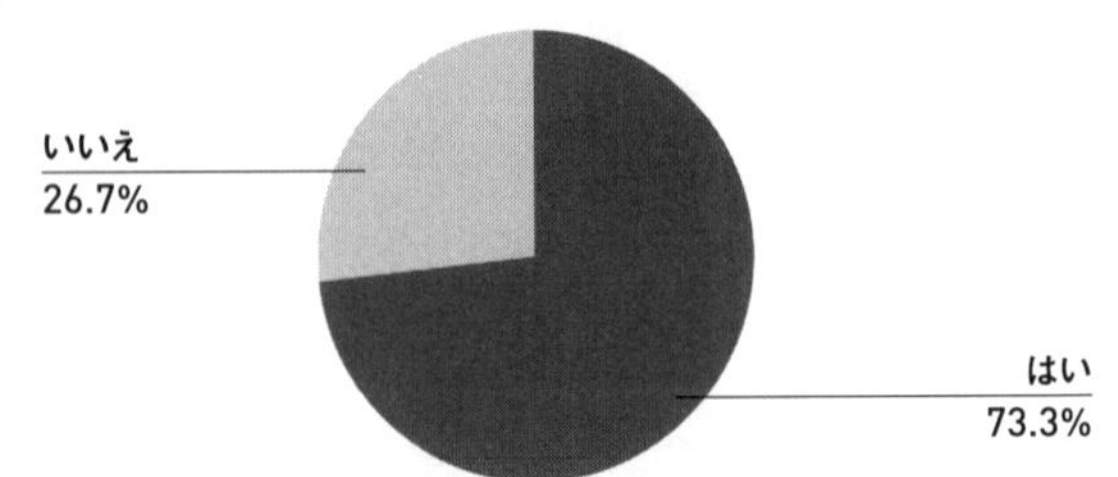

Q 「はい」と答えた方、お子さんが置きっぱなしにしているモノの量は、どれくらいですか？

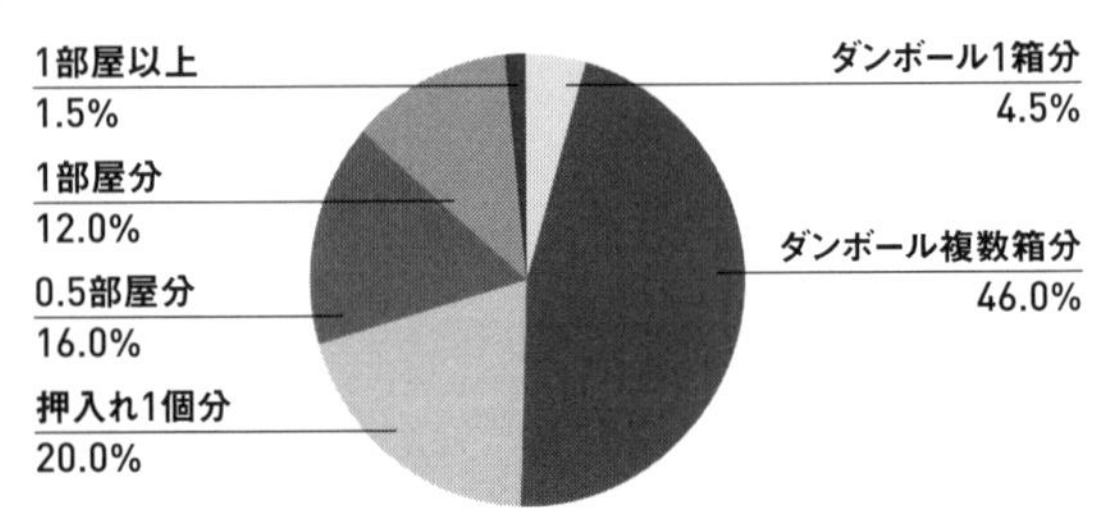

実家に置きっぱなしのモノランキング

[1位] 本

[2位] 洋服

[3位] 思い出品

[4位] コレクション品　[5位] スポーツ用品　[6位] 家具　[7位] ふとん

・対象者：独立した子どもがいる親 333人　・調査内容：独立した子どもが実家に置きっぱなしにしている荷物についてのアンケート　・実施時期：2019年8月　株式会社サマリー

それを語る表情に申し訳なさはなく、むしろ「親に顔を見せる、いいきっかけになる」「親も自分に会えて喜んでいる」と、ポジティブにとらえているようです。

子どもの側からすると、実家にモノを置きっぱなしにするのはとても便利です。季節外の衣類・ふとんや思い出の品などの「1ヵ月以内に使う予定はないけれど、捨てることはできないモノ」を部屋に置いておくと、収納スペースの稼働率を下げるからです。

外部収納サービスのトランクルームのようにお金もかからず、いざ必要になったら親に送ってもらえばいいし、親の家なのでセキュリティも安心と、便利に思ってしまう気持ちもわかります。

親は子どもが置いていったモノを邪魔だと感じている⁉

しかし、親からすると、これらのモノは、迷惑な存在です！

とくに母親のほうが、より「邪魔」と感じる度合いが強く、約6割がそう感じていることがわかりました。

母親の約6割が置きっぱなしのモノを「邪魔」と感じている

Q お子さんが置きっぱなしにしているモノについて、どのように思っていますか？

（下記は回答者200人のうち、女性回答者74人に絞ったもの）

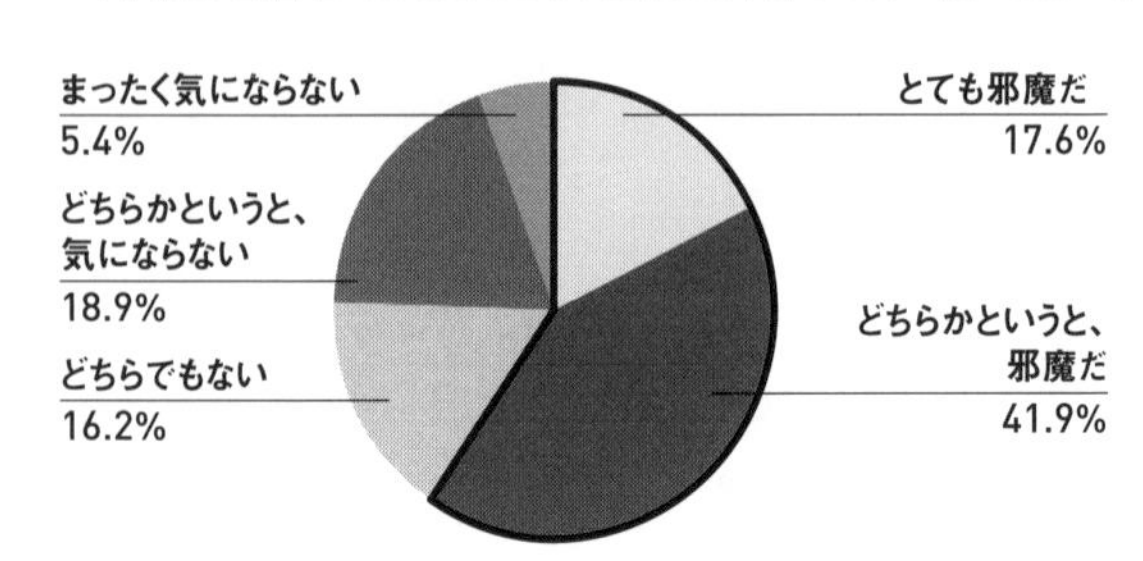

さらに、子どもにそれらのモノを引き取ってほしいと考えている母親のうち約3割が「まだ子どもには伝えられていない」とし、約6割が「伝えたものの、片づける予定はない」とのこと。きちんと伝えて、片づける行動に移せた子どもは、7％未満とごく少数でした……。

そして、子どもに直接伝えられなかった方に、その理由を尋ねてみると、半数以上が「子どものほうが狭い家に住んでいて、かわいそうだから」と回答していました。

また、置きっぱなしにしているモノを子どもの許可なく親が触り、トラブルに発展した例も、多々ありました。

「古くてかなり匂いのするスニーカーを、もう履かないだろうと思って捨てたら、数ヵ月後に子どもに捨てたかどうか聞かれた。『捨てた』と言ったら『勝手に捨てないでくれ』と文句を言われた」

「化粧品をいろいろな場所に置きっぱなしにしてあるので、中身が空だと思って捨ててしまった。娘から、なぜ確かめずに捨てたのかと怒られた」

中には「部屋を勝手に使って文句を言われた」という声もあり、せっかく**親が第2の人生を楽しもうとしているのに、子どものモノによって、自宅を自由に使えないという、悲しい実態が浮きぼりになりました……**。

実際、この調査の中で、こういった独立した子どもが置きっぱなしにしているモノたちが家を占領していることで、部屋を活用できていないと答えた人は62%もいました。

ほんとうは、その部屋を活用したいというのが本音でしょう。

実際に「梅雨時に洗濯物を干したい」「オーディオルームとして活用したい」「リフォームして間取りを変えたい」「自分の書斎にしたい」などといった声が挙がっていました。

また当然のことながら、子どもの置きっぱなしのモノの稼働率は低く、約7割が「1年に一度も取り出されず、親が触れることもない」状態です。

1年に一度も使わないモノのために、親が毎日長い時間を過ごす家の中の、ある程度のスペースや部屋が無駄になってしまっているのは、悲しいことです。

もし、**あなたが実家にモノを預けているのだとしたら、一度親御さんと「今後それらをどうするか」という話し合いをしてみましょう。**

もちろん、実家に十分に広いスペースがあり、住み替えやリフォームの予定もないなら、モノを置いておいてもらうのもいいでしょう。

けれどもその場合も、定期的にモノの整理を行い、死蔵品にならないように注意が必要です。

少しでも親に迷惑をかけているなと感じたら、徐々にモノを減らしていきましょう。

自宅にスペースがない場合は、家の中のバックヤードの見直しをはかり、場合によっては外部収納を利用するなど、ダンボールに入る分は移動させることを検討してみてはいかがでしょうか。

PART

3

片づいた部屋を ラクに維持しよう

毎週30分の点検作業と棚卸し

整理・収納の山を無事に越えて、すべてのモノに正しい定位置が収まったあとは、この状態を「維持すること」について、話していきます。

以前、知人に、『3時間で変われる、片づけの教科書』というタイトルの記事があったら、読みたい？」とヒアリングしたことがあります。

「片づけが苦手だから、ぜひ読みたい！」「たった3時間で学べるなら、学んでみたい！」などとさまざまな意見が出たのですが、ある女性からこんな声がありました。

「片づけって、隙間時間にちょちょっと整えるだけじゃないの？　3時間も何をやるのかしら……」

聞いてみると、彼女は自分自身も、親御さんも、必要なモノ以外は所有しないミニマリスト。最初からモノを必要数しか持たないので、彼女にとっての片づけは「少しずれているモノを元の場所に戻す、ちょっとした作業」のことを指すのだそうです。

ふだんからモノの定位置が正しく定まっていて、「使ったら定位置に戻す」という仕組みができていれば、片づけは「さっと直すだけ」の軽い作業になります。

「ちょちょっとやれば、気持ちのいい、なんてことのない作業」にまで落とし込めれば、もうそれは、片づけの達人の境地です。

実際、P26と同じ関東在住600人を対象に行った自主調査の中で、整理収納意識の高いグループと低いグループとでは、1回の片づけにかかる時間が異なるということがわかりました。

この調査で、整理収納意識の高いグループの7割が、片づけを30分以内に終わらせています。そのうち3割は、片づけを10分以内にささっと済ませています。

一方で、整理収納意識の低いグループでは、5割が1時間以上、2割が2時間以上、片づけに時間を割いている状況です。

つまり、**一度うまく片づければ、そのあとの維持はラクになり、ラクになるからこそ片づけ頻度が増えてきれいな状態を保つことができるという好循環をつくることができます。**

反対に、ふさわしい定位置が定まらないまま、やみくもに片づけても、時間ばかりかかって成果が出ず、片づけが面倒になるという悪循環に陥ります。

せっかく片づけたのなら、そのあともずっときれいな部屋を維持できるように、好循環をつくっていきましょう。

指定席以外に座っているモノがいないか、5分で点検作業をする

新幹線で、車掌さんから切符の確認をされたことはありますか?

東海道・山陽新幹線の自由席車両では、1席ずつ声をかけ、切符を確認する「検札」を行っています。前の座席から順に全員の切符を確認します。切符を持っていない人がいないか、1人ひとり丁寧に声がけして確認するのです。

一方で指定席車両では、全席の切符確認は行わず、「予約が入っていないのに席に人がいる場合」のみ、声かけをします。「予約があり、人が座っている」場合、よほどパッと見でおかしくない限り、何も声をかけません。

部屋のメンテナンスは、この指定席の声かけに似ています。

「指定席以外に、勝手に座っているモノはないか?」を確認するだけなのです。

たとえば、部屋のだいたいのモノが定位置通りにピシッと並んでいる中で、一部の洋服がクローゼットにごちゃっと突っ込まれているとします。3㎝間隔でそろえたハンガーの整列がくずれていることに気がついたら、3㎝の間隔に直します。

あるいは、机の上に、届いた郵便物がポンと置いてあるとします。郵便物を開封して、定位置に収めます。

これで、終わりです。

自分の定めた定位置が適切であれば、「毎日の中で使用したモノ」がちゃんと定位置に戻っているはずなので、この点検作業は5分もかからずに終わるでしょう。

出したモノを戻すのが億劫になりがちな人は「仮置きボックス」を活用する

平日がとても忙しくて、**使ったモノを元に戻すのも億劫な人は、仮置きボックスの設置をおすすめします。**

図書館の「閲覧返却台」を見たことはありますか？

図書館の定位置の管理は、ジャンル・筆者・内容で細分化されています。司書さんしか管理ロジックを理解していません。そのため、棚の前で立ち読みでもしない限り、本を読んだあと、元の棚に本を戻すのは、素人では至難の技です。

ここで素人が気を利かせて、適当な棚に本を戻したとします。定位置に本は戻らず、司書さんもどこに戻されたか気づかず、本は「なくなった状態」となり、大迷惑です。

正しく元の位置を把握していない素人が下手に戻すよりも、返却台にごそっと本を置いてもらって、プロの司書さんが正しく棚に戻すほうが、確実に本は定位置に戻ります。

この考え方を応用するのが、「仮置きボックス」です。仮置きボックスは、次のようなものをガサッと入れておく場所です。

① 平日なんとなく出したけれど元に戻すのが億劫なモノ
② 今週家にやってきたけれど、定位置を決められていないモノ

平日から完璧に部屋をきれいに維持することはあきらめて、よくわからないモノはとりあえず仮置きボックスに入れていきましょう。たとえば、いただきもののキーホルダーや、友だちに貸していたけれど最近返ってきたＤＶＤ、新しく購入した雑貨などです。

仮置きボックスで
毎週の点検作業を習慣化する

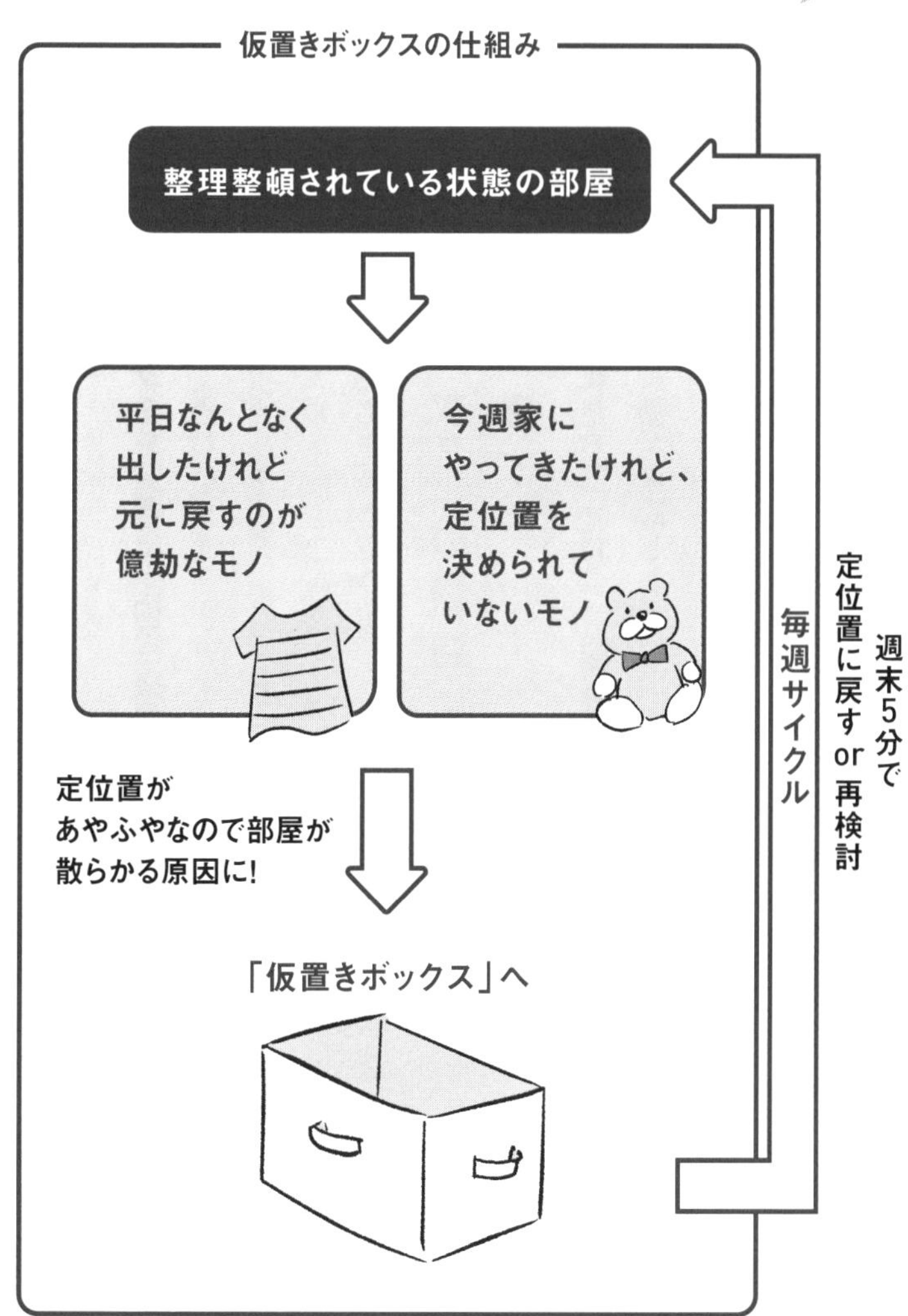

そうして、毎週仮置きボックスの仕分けを行う「点検作業」を習慣にします。通常は5分程度で終わるはずです。

注意点としては、仮置きボックスを、週に1回、必ず空にすることです。仮置きボックスの中身が把握できないいまま、中身が増えていくのは非常に危険です。1週間分なら5分で元に戻せても、1ヵ月、2ヵ月……と蓄積されると、戻すのが非常に億劫になります。

仮置きボックスには、中身が見えやすいものを使うことをおすすめします。

「いま、使いやすいか？」の課題に合わせて、25分で定位置を見直す

5分で点検作業を終えたら、残りの25分間で、**「循環棚卸し」**を行います。聞き慣れないかと思いますが、循環棚卸しとは、店舗や倉庫などの在庫管理に用いる言葉です。

「棚卸し」とは、残っている商品の在庫の数を数え、帳簿上の数と合っているかチェックすることです。通常、決算期などのまとまったタイミングで、在庫数のチェックを一気に

行います。これを「一斉棚卸し」といいます。店舗や物流センターの営業をやめ、24時間通しで、何人もの人手をかけて、すべてを一気に終えます。

一方で、「循環棚卸し」は、営業をやめることなく、少量をコツコツとチェックしつづけることです。

つまり、片づけにおける循環棚卸しでは、通常の生活を妨げることなく、「今週は○○カテゴリ」というふうに、決められた少量のテーマ品目だけをチェックし、コツコツと片づけを継続していきます。

「使うモノ」の定位置を、ハンディーゾーンに適切に定めたとしても、季節や自分の気持ちの変化で、「今月使うモノ」は常に動きつづけます。

また、片づけを終えてからも、少しずつ新しいモノを買っていれば、モノは増えていくばかりです。一度決めた定位置にこだわりつづけていると、いつのまにか実用的ではない場所にモノが置かれつづけるなど、部屋が散らかりはじめます。

「1年に1回、まとまった時間をとって片づける」という方法でもいいのですが、効率などの観点から一気に大きな時間を割くのも現実的ではないでしょう。季節も自分の気持ちも移ろいゆく中で、こまめに見直さないと、日々の生活の利便性が落ちてしまいます。

そのため、**毎週25分間は、「いまの定位置がほんとうに適切なのか？」を、見直しましょう。**

たとえば、洋服の「衣替え」。

私の場合は、1−2月・3−4月・5−6月・7−8月・9−10月・11−12月の2ヵ月単位で、「よく着るアイテム」の内容が微妙に変わります。

もちろん、すべての服を取り替えるわけではありません。同じスカートでも、ストッキングを合わせるか、タイツをはくか、カーディガンを着るか否かなど、変化するポイントはささいなものです。

けれども、毎日使うモノだからこそ、このささいなポイントを定位置に反映できているかどうかは重要です。

循環棚卸しの「今週手をつけるテーマ」は、事前に計画を立てる必要はなく、その週に課題に感じたポイントやカテゴリにします。

「靴箱の右側の棚が少しごちゃっとしている」

「本棚が少しあふれてきた」

などというように、目についた小さなテーマでいいのです。

毎週1、2つテーマを掲げ、モノを全部出し、1つひとつ見直し、定位置を決める。

このサイクルで、1ヵ所10~20分を目安に片づけるといいでしょう。


テーマが見つからないときは、腕を真横に伸ばして、部屋中のハンディーゾーンに手を触れてみましょう。

手が届く可動域に、「今月使いそうにないモノ」が、置いてありませんか?

「ここのゾーン、そういえばちっとも触っていないや」

「同じカテゴリのモノをひとつにまとめていたけど、そのうちの1割も使っていない」

などと課題を感じたら、ぱっと見きれいに収まっている場合でも、一度全部出して、定位置を見直してみましょう。

「毎週30分」を守り、無理なく片づける習慣をつける

片づけは、やりはじめるハードルはとても高いけれど、一度やりはじめると面白くてどんどんやりたくなるもの。30分のメンテナンス作業を超えて、あれもこれもと、手を広げてしまうと危険です。

気づいたら3時間、4時間と作業に没頭していたらすっかり疲れてしまい、翌週からは「今週はいいか」と点検作業をスキップ……なんてことも。

この「今週はスキップ」がつづくと、定位置からモノがあふれ出し、家が元の状態にリバウンドする可能性が出てきます。

「お客さんが来ることになったので、3時間でなんとかしたい」といった臨時かつ緊急の用事がない限り、**毎週の点検・棚卸し作業は30分程度で終了させるようにしましょう。**

毎週30分、できれば曜日と時刻を決めて、ルーティンにすると実行しやすいでしょう。

私は土曜日の朝9時から、好きな音楽をかけて、洗濯機を回しながら、今週の点検・棚卸し作業時間を取っています。

毎週のちょっとした作業で、モノの定位置をうまく見つけ、ラクして快適な部屋をつくっていきましょう。

2

片づいた状態を維持する

バックヤードのモノは定期的にメンテナンスする

ハンディーゾーンに配置した「月1回以上使うモノ」は、日々目に入りますが、バックヤードに配置した「使用頻度の低いモノ」と「使わないけれど愛しているモノ」は、一度収めてしまうと存在自体を忘れてしまいがちです。押入れの枕棚や下段奥のスペース、玄関先収納など、気を抜くと箱を空けずに何年も経ってしまった……なんてことも。

とくに「使わないけれど愛がある、思い出の品」は、意識しないと死蔵品化しがちです。**モノへの愛は時期によって鮮度が上下するので、半年に1回は中身を全部出して、見直すことが必要**です。

ここで役に立つのが、P204のバックヤード収納時に撮影した「箱の中身の写真」です。中に何があるか、まずは写真を見て思い出し、半年間一度も触っていなければ、箱からモノを取り出して1点ずつ手に取ってみましょう。

「もっとも愛が深い大事なモノ」だと思って箱に詰めていたモノが、時間をおいて手に取ってみると、「意外と好きではないかも……」と、ハッとすることがあります。

こうなったら、手放すことを検討します。この半年間で新たに増えた思い出の品とチェンジして、手放すこともあるでしょう。


また、「月1回未満使う」と分類したモノは、「この1年間で実際に使ったのか？」という観点で、定期的に見直しましょう。

もう何年も着ていない浴衣や、遊ぶ機会がなかなかないボードゲームなど、ほんとうに使うのか、ただのしがらみとして所有していないかどうか、箱を空けたタイミングで吟味します。


P119の整理の過程で「迷うボックス」をつくり、モノを入れた方は、必ず定期的に見直しましょう。「期限を決めて予定表に書いておく」「季節品の近くに保管しておく」などと忘れない工夫をしてください。

迷うボックスに入れたモノを、半年間経っても一度も使わず、かつ何が入っているか思い出しすらできなければ、箱ごと手放してもいいでしょう。

「迷い」によって、愛するモノを新しく増やすスペースを奪ってしまうのは、もったいないですよね。**半年間迷って、まだ愛があるかどうか判別できないならば、それは自分にとって大切ではないということ**です。

家中にあるスペースや箱の中で、「この数ヵ月、一度も触っていない」という存在をなくし、定期的に目をかけることで、部屋は稼働率が高まり、風通しがよく、筋肉質な状態に進化していきます。

外部収納サービスに預けたモノや季節品は四半期ごとにスマートフォンで見直す

P211の収納のプロセスで、自宅のバックヤードのスペースが足りず、外部収納サービスにモノを預けた場合も、自宅のバックヤードと同様、定期的に中身を見直すようにしましょう。

季節の変わり目や四半期ごとに、預けているモノをスマートフォンでチェックするのがおすすめです。

とくに洋服やふとんなどの季節用品は、季節が変わる少し前に、前もって取り出しておくと安心です。
衣替えの判断のコツとして、次の「最高気温の3つの分かれ目」を覚えておきましょう。

- 25度：半袖と長袖の分かれ目
- 20度：長袖とセーターの分かれ目
- 15度：セーターとコートの分かれ目

季節品だけでなく、同じタイミングで「使用頻度の低いモノ」「使わないけれど愛しているモノ」も、自分にとってほんとうに必要か、1点ずつ確認していきます。

自宅のバックヤードも、オプションとして増やした外部収納サービスも、定期的に目をかけないと、死蔵品化します。

家賃を払っている自宅のバックヤードもそうですが、お金を払って借りている外部収納の中のモノが死蔵品化するのは、当然ながらもったいないことです。

持っていることに対して少しでも疑問を感じたら、一度外部収納から取り出して手に取ってみます（「もう必要ないかな」と感じたら、サマリーポケットに預けたまま「ヤフオク！」に出品することもできます）。

季節ごとに、モノに対する自分の気持ちに向き合うようにしましょう。

3

片づいた状態を維持する

もしリバウンドしてしまったら……

「せっかく時間をかけて片づけたのに、数週間ですぐ散らかってしまい、リバウンドしてしまった」という声をよく聞きます。

そこで、リバウンドの原因と、リバウンドしてしまったときの対応策について、お話しします。


正しく片づけが終わっていれば、家をきれいに維持する作業は「かんたんでしょうがない」と感じます。

逆に「ずっと面倒くさい」方は、残念ながらP169で行った定位置決めに失敗している可能性が高いでしょう。

「片づけ」は、前半が一番しんどいものです。「片づける前よりつらい、やめたい」と感じてしまうのが、この本のＳＴＥＰ２・３の「整理・収納」に頭を使いつづけている時期です。

しかし、整理・収納の繰り返しを乗り越えると、「やる前より、ずっとラクになった。抜群に快適だ！」という瞬間が必ず訪れ、以後それが継続されるはずです。

それなのに、片づけが終わっていてもラクにならないのは、残念ながら定位置の決定に失敗している証拠です。

これは、片づけに限らず、世の中のすべての「変革」にも言えること。

新しい制度を取り入れるとき、一番しんどいと感じるのは、「導入する瞬間」です。

たとえば、あなたがレストランの店長だと想像してください。これまでは予約を電話でしか受けておらず、入った予約は店の台帳に手書きで書き込んでいたとします。

スタッフは忙しい営業時間内に電話対応に追われ、台帳には何人も書き込んでいてぐちゃぐちゃ。もはや、キャンセルや時間変更の把握がうまくできていない状態です。

そこで、インターネットで予約を受けつけ、台帳もパソコン上で管理する体制に変えよ

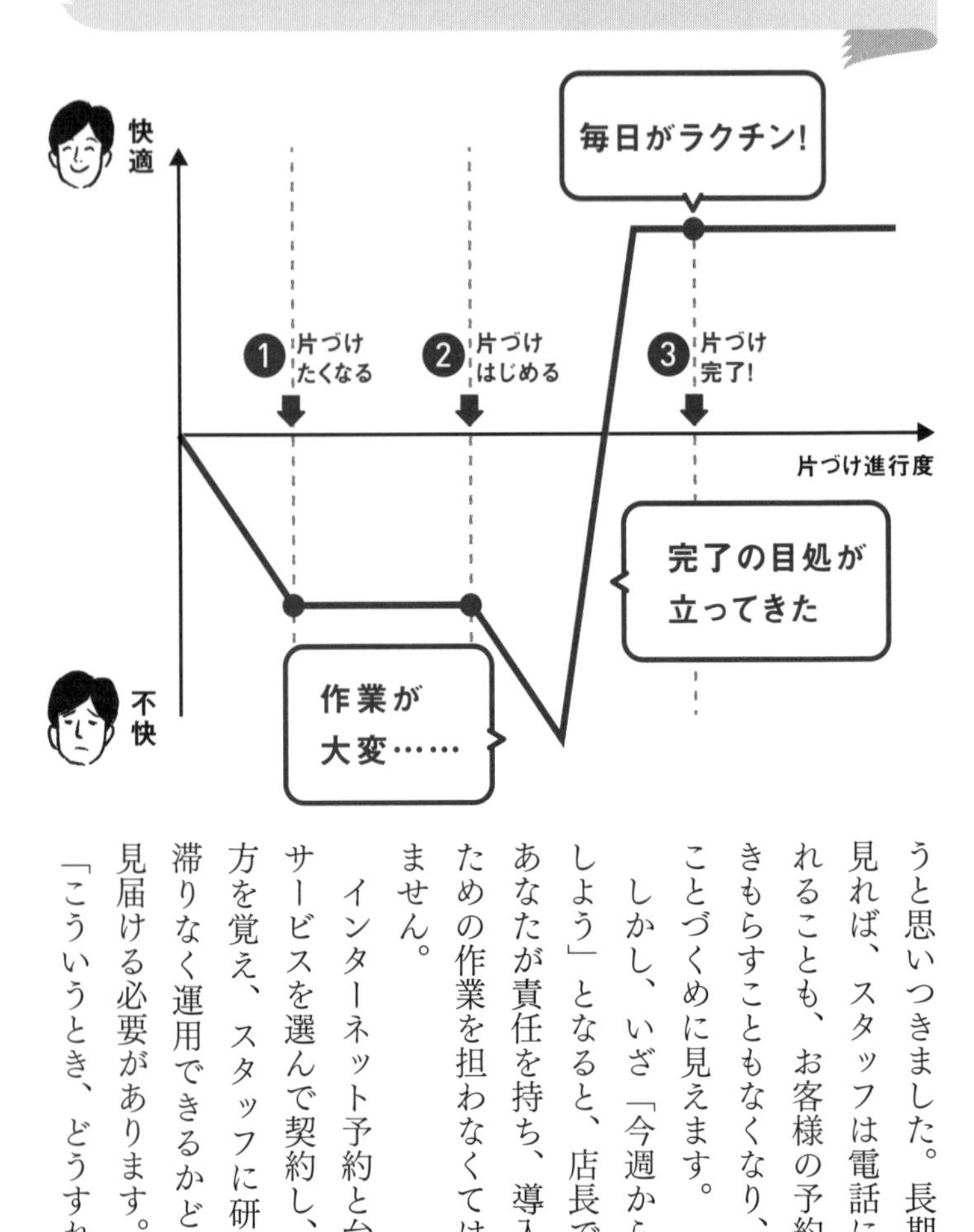

うと思いつきました。長期的に見れば、スタッフは電話に追われることも、お客様の予約を書きもらすこともなくなり、いいことづくめに見えます。

しかし、いざ「今週から導入しよう」となると、店長であるあなたが責任を持ち、導入するための作業を担わなくてはなりません。

インターネット予約と台帳のサービスを選んで契約し、使い方を覚え、スタッフに研修し、滞りなく運用できるかどうか、見届ける必要があります。

「こういうとき、どうすればい

い？」というトラブルもつきものです。きちんとその仕組みがまわりはじめるまで、責任者であるあなたはずっとやきもきしつづけなければならないのです。

したがって、スタッフが「ラクになったよ」と自立してくれるまで、何ヵ月かはあなたに負荷がかかります。

片づけが難しい理由も、概念としては同じです。

片づけとは、自分が所有している1つひとつのモノとトコトン向き合い、最適なポジションを見出すこと。

つまり、漫然と暮らしているときと比べて、明らかに心身ともに大変な作業なのです。

そのため、片づけ作業自体を「楽しい！」と心から思える人は少ないでしょう。とくに、部屋に目に見える変化が現れるまでの期間は、「これがいつまでつづくのか……」と、つらくて不安になります。

しかし、**片づけが終わった瞬間、スタート前より、ラクで快適な生活がはじまります。**

もちろん、最小限、週末30分の維持作業は必要ですが、最初に行った片づけ作業と比べると、とても軽く、ラクなものになります。

片づける前より、ラクにならない場合がある

片づける前には、「モノをすぐに見つけられない」「重複してモノを買ってしまう」「家でくつろげない」などと時間的・経済的にデメリットがあったはずです。

整理・収納の作業負荷と比較して、そのあとの生活が「ラクになった」と思える度合いがより大きければ、片づけは大成功ですが、なかなかそうはいきません。

先ほどのレストランの例にもう一度戻ってみましょう。

あなたは、無事「インターネット予約・台帳管理システム」を導入できたとします。電話対応からも書き写しミスからも解放されて、スタッフは全員接客に精を出しているかと思いきや、パソコン操作が苦手な熟練スタッフの一部が、システムを無視して、紙の台帳をまだ使っていたり、お客さんは引きつづき電話をかけてきたり、スタッフがパソコン台帳の入力を間違えて予約をダブルブッキングしたり……と、トラブルつづき！

スタッフたちからは、「導入する前より、かえって煩雑になった」と批判の嵐です。これでは、導入プロジェクトが成功だったとは、いいがたい状況です。

新しい制度を導入するとき、想定外の事象やトラブルはつきものです。

序盤に不満が出たからといって、あきらめる必要はまったくなく、トラブルを1つひとつ解決して進んでいけばいいのです。

とはいえ、問題が出ているのにそのまま放置してしまうと、「導入する前より、悪くなった」という悲しい結果で終わってしまいます。よかれと思って導入した施策により、日々の行動にルールが増えて、かえって効率が悪くなってしまうこともよくあります。

それよりも、その問題をどう解決していくかに力を入れて、前に進んでいくことが重要です。

「仕組み」を見直せば、リバウンドしない

「一度片づけたのに、つづけられない」と思ったとき、頭ごなしに「自分は怠け者だ」と責めてはいけません。

物事をつづけられないのは、自分の心の問題ではなく、物事の仕組みそのものが間違っていることが大半です。

少しでも「維持するのがしんどい」「気を抜いたらすぐ散らかってしまう」と感じるの

であれば、気合いの話ではなく、その前段階での片づけがそもそも失敗していたということ。自分を責めるのではなく、もう一度、モノの定位置を見直してみましょう。

実際は、「全体的に、何もかもダメ」ということはありません。失敗しているのは、おそらく家全体のうちの一部で、まずはその失敗箇所がどこなのか、現状の課題を洗い出すことからはじめましょう。

この考え方は、仕事や家庭のトラブルでも同じですが、「このプロジェクトは全体的にイマイチだ」「夫の機嫌がなんとなく悪い」などと、漠然と不安だけ抱えていても、いいことはありません。

また、一部分に問題があったからといって、「プロジェクトを中止しよう」「夫と離婚してしまおう」などと、極端な現状批判をする必要も、まったくありませんよね。

いまうまくいっていない理由がなんなのか、できるだけ細かい要素ごとに分けて、改善できるものからアクションを取っていくことが、問題解決の近道です。

まず、ごちゃっとした状態の部屋を見渡しましょう。

散らばっていて目につく、「モノのカテゴリ」はなんでしょうか？

より客観的に状況を見るために、その状態を写真に撮ってみましょう。

そして、具体的に床に散らばっているモノはなんなのか、どんな背景で散らかっているのか、考えましょう。

そのうえで、具体的に自分のライフスタイルを思い描きながら、客観的に理由を分析します。たとえば次のように。

- 平日疲れて家に帰ってきたら、洋服を脱ぎっぱなし。定位置に戻すのが面倒くさい
- 朝の支度がバタバタで、モノを引っ張り出しても戻す暇がない
- 本棚がギュウギュウで戻しづらいので、ソファーに置きっぱなしになりがち

理由がわかれば、大きく分けて、次の3つの根本原因に分類することができます。

①依然として物量が多い
②定位置が悪い
③買いもの・もらいものの量が多すぎる

では、ひとつずつその解決策を紹介しましょう。

①依然として物量が多い

1つひとつのモノと向き合い、不要なモノを部屋の外に出したはずですが、それでも物量が自身の管理能力を超えているケースです。

P177のハンディーミニマリストルールでは、「収納量の8割を目安に収納しましょう」とお伝えましたが、モノがあふれている場所は、収納量の8割を超過していないでしょうか。

テレビや雑誌で活躍するような整理収納アドバイザーの方でも、**平日の仕事が忙しい場合には、「収納の5割までモノを減らす」**そうです。

どんな片づけのプロでも、仕事が忙しければ、ギュウギュウに詰め込まれたモノをきれいに保つことは難しいものです。

モノは減れば減るほど、管理の手間がラクになります。

平日は仕事に追われ、ほとんど家のことができないという方は、一度ハンディーゾーンのモノを、5〜6割まで減らすことをおすすめします。

そのためにはまず、バックヤードのモノを、「預ける」「売る」「寄付」などの方法で「とにかく1箱分でも家の外に出すこと」を心がけましょう。

たとえば季節外のアイテムは、部屋に置いておく必要はありません。外部収納に1箱分出してみて、空いたスペースに他のモノをスライドさせ、使用頻度の高いハンディーゾーンに、より余白を持たせます。

物量の多さに加え、収納スペース内のモノの「稼働率」も重要です。

クローゼットの中のある領域のモノを、今月になって1回も触っていないとしたら、要注意。

クローゼット内のモノが死蔵品と化している可能性があります。

理想は、収納スペースに収まったモノのうちの半分が、月1回以上触れられていることです。動かないモノが5割を超えていたら、もう一度その動いていないモノと向き合って、場合によっては家の外に出す必要があるかもしれません。

家は、人間の身体とよく似ています。身体は動かさないと、さびていきます。血液サラサラで筋肉量の多い、ヘルシーな家づくりを目指しましょう。

②定位置が悪い

使用頻度の高いモノがしまいにくい場所にあり、整頓作業に無駄なアクションがかかるというケースです。

アクション数が少なければ少ないほど、収納の手間は減ります。「何回も引き出さないと取り出せないケース」「ふたの固い缶」などのトリッキーな収納アイテムを導入していませんか？　収納は技術よりもシンプルさが大事です。アクション数を増やしているものは撤廃しましょう。


また、動線も重要です。

一日の中で、一番余裕のない時間は、朝ではありませんか？

「バタバタした朝、着る服が決まらず何着も引っ張り出して、出しっぱなし。夜は疲れて片づける気にならず、着ていた服も脱ぎっぱなし……」という相談をよく受けます。

この解決策として、「朝に少し早く起きて余裕を持とう」「夜、朝散らかした分を必ず片づけてから寝よう」などと、生活改善を掲げる方も多いでしょう。

じつはその目標は、ほとんど意味をなしません。片づけることを最優先に考えたとき、朝早く起きる・夜にがんばるだけのモチベーションがわくでしょうか……。

現実には、片づけよりも大事なことが山ほど起こります。遅くまで残業がつづいた翌日、片づけのために、いつもより5分、早く起きられるでしょうか？　たとえ「がんばろう」と思っても、3日坊主で終わってしまうことのほうが多そうですよね。

そこで、正しい解決策は、「忙しい朝と、疲れ切った夜に、がんばらなくても散らからない構造を事前につくる」ことです。

洋服を出したり戻したりする理由は、何を着るか迷っているから。つまり、「今日は、何を着よう？」と迷うような配置をしているから、迷うのです。

この課題を解決する仕組みは、「事前に着る服のセットをハンガーにかけて、寝る前にどれを着るか、あらかじめ決めておく」ことです。

平日が忙しい方は、休日に手持ちの服で1週間分のコーディネートを考え、クローゼットにかけておきましょう。

これをするだけで、平日は左から順番に取って、機械的に袖を通すだけ。また帰宅後、脱いだ服を投げ入れるバスケットを設置すれば、手間をかけず、脱ぎっぱなしの服が居住スペースに広がることも防ぐことができます。「平日は、服をたたんでタンスにしまうだけでも無理」という方も、たたむ努力をするのではなく、放り込む大きめのバスケットを用意することで、休日にたたむだけで成立する片づけ構造を、かんたんにつくることができます。

さらに、バッグ、時計、ベルトなどの使うモノがバラバラの場所にあると、歩いて何往復もしなくてはならなくなります。**アイテム単品でのアクション数はもちろん、「朝全体を通してのアクション数」も少なければ少ないに越したことはありません。**

朝、流れるような動線に沿って身支度を終えられるよう、使うモノはひとつの場所にまとめておきましょう。

そして再び、P85で撮影した写真を見直しましょう。とくに散らかっているモノはなんですか？　どんなシーンで使われたモノでしょうか？

自分の24時間の行動にともなう定位置の課題を特定したら、自分のライフスタイルを極

力変えず、モノの置き方だけ変えれば散らからないかどうか、検証していきましょう。

③買いもの・もらいものの量が多い

買いもの好き、ついもらってしまうクセがあるなど、家に入ってくるモノの量が多いと、どんなにがんばってルールを決めても、片づける前に入ってくる多くのモノでパンクしてしまいます。

無駄な買いものが多いと感じる方は、事前に家の中のストックを確認したうえで買いものリストをつくり、「リスト上に書いてあるモノ以外は絶対に買わない」というルールを決めるのがいいでしょう。

セット品割引や、セール品も買わないルールです。割安な商品を得ようとせず、必要最小限のモノしか家に入れないという意識が大切です。

「おトク好き」の方は、モノで得をするのをあきらめて、飲食店の割引など「体験で得をする」ことに、シフトしていきましょう。都市部に住み、高い家賃やローンなどを払っていることを前提とすると、かんたんにモノで得をすることはできません。

私の場合は、消耗品は消費するスピードに合わせ、「Amazon定期便」を利用しています。店舗で買いものをしてしまうと、ついつい目に入ったモノが欲しくなってしまうので、「買いものをせずとも必要なモノを補充できる仕組み」として重宝しています。

職業柄、本や書類が自然と増えてしまう方は、職場や外部収納など、自宅以外での保管ができないか検討してみましょう。

また、「買いもの自体を趣味にしている方」もいることでしょう。

その場合、片づけのために趣味をあきらめる必要はありません。ただし、趣味を守るためにも、モノが適正量を超えないようなコントロールが必要です。

「服は1着買ったら、1着捨てましょう」とよくいわれますが、**いまあるモノを捨てるか、それが難しければ人にゆずったり、預けるなどして、とにかく家の外に出しましょう。**

それでも、やっぱり「どうしても家に置きたい」という場合は、愛を判断軸に、他のカテゴリのモノ（たとえば、本を処分するなど）を意図的に減らし、場所をゆずってもらいましょう。

収納量の8割以上モノをパンパンに詰め込んでしまうと、結局いつまでたっても部屋は片づきません。

もらいものについても、極力もらわないことを前提にし、もしもらってしまった場合は「1週間以内に消費するか、人にゆずる」というルールにしましょう。

リバウンドする
3つの原因

解決策

①ハンディーゾーンのモノを減らして、余裕をつくる

②アクション数をできるだけ少なくし、自分のライフスタイルに合わせた定位置を再設定する

③モノが増えた分、家の外に出すルールをあらかじめ決めておく

最後に、買ったモノも、もらったモノも、家に入れた瞬間にやってほしいことがあります。

それは、袋から出し、包装を取って、極力使いやすい状態にセットして、定位置を決めること。

家に入ってきた瞬間に定位置を決めず、袋に入れたままにしていると、次から次へと買いもの袋が増えていき、せっかく買ったモノが死蔵品と化していきます。

毎回スティックに定位置に収めるところまでを習慣化すると、次第に定位置に入れづらいモノを家に持って帰るのが億劫になり、ペットボトルのおまけなどをむやみにもらわなくなります。

さまざまな手を使って片づけのPDCAをまわす

リバウンドしてしまった方は、家が散らかる原因が特定できましたか？

原因がわかったら、ぜひもう一度片づけに取り組み、問題を解決していきましょう。

「片づけは1回にしてならず」です。

片づけて、生活してみて、苦しくなったらまた戻る。

何度戻ってもいいので、ＰＤＣＡを回して、より快適な部屋をつくっていきましょう。

もしそれでも**「私には原因も解決策もわからない……」と落ち込む場合は、自分を責めずに、家に人を呼んでみましょう。**

自分一人で悩んでいると、暗い気持ちになりますが、ほかの人が意外なところから答えを導いてくれることもあります。

一方で、まったくモチベーションがわかなかったり、やり方がわからなくなった方は、一度整理収納アドバイザーを家に呼んでみることをおすすめします。

株式会社インブルームの「お片付けコンシェルジュ」は、初回お試しプランは2・5時間で12000円〜。片づけのプロが自宅でみっちり片づけを指導してくれます。

家全体をアドバイザーに片づけてもらおうと思うと、20〜30時間程度の時間が必要で、費用にしても相当なものになってしまいます。

最初のきっかけづくり、コツをつかむまでのインストラクションというつもりで、まずは一度お試ししてみたうえで、もう一度自力でできるところまでやる、またどうしても行き詰まったら再度来てもらうなどして、活用していきましょう。

費用がかからないところでは、**片づけが得意な家族・友人を家に呼び、「ここがごちゃっとしているのだけど……」と具体的に質問をしてみる**のもいいでしょう。

目の前で、自分のモノをほかの人と一緒に片づけるという経験は、少しだけでもとても効果的です。「もっと片づけたい！」というモチベーションがわくきっかけになりますし、人と話しながら進められるので、一人で黙々とやるより、コツをつかみやすくなります。

それに、片づけが得意な人は、実際に家に来ずとも、写真を見るだけで解決策がわかることも。一度ごちゃっとモノがかたまっている様子の写真を撮り、相手に送ったうえで、いい方法はないか質問してみましょう。

一人ではイマイチつかめないきっかけも、周りの誰かしらを巻き込めば、うまく好転することは多くあります。

どうにかあの手この手で、最初の成功をつかみ、軌道に乗ったら再度片づけ作業に戻っていきましょう。

最初に撮った写真を見て、進歩を実感しよう

「なんだか片づかないな……」と悩みはじめたときは、ぜひ、P85の片づけの最初のSTEP「見積もり」で撮った写真を見てみましょう。

いまはまだ、雑誌で見るモデルルームのような部屋にはなっていないかもしれませんが、確実に使いやすくなっているはずです。

いかに自分の部屋が進歩しているか、いまの姿と過去の部屋を見比べて、自分の努力を

振り返りましょう。

誤った定位置を決めてしまうと、家は片づける前より、使いづらくなることもあります。私も何度も、収納の見栄えを重視したあまり、「片づける前より使いづらくする」という失敗を繰り返してきました。

整理も収納もトライアンドエラーです。

前のほうがよかった場合は、潔く前に戻しましょう。

そのためにも、ビフォー／アフターの写真をこまめに撮影します。スマートフォンの画像フォルダに、時期ごとの家の写真を収めて、変遷を記録していきましょう。

そうして、ゆっくり試行錯誤を繰り返し、よりよい定位置を見つけていきます。

失敗しても、定位置はすぐ戻せるので、大丈夫。

毎日が、ほんとうにラクだと思えるまで、何度もチャレンジして、自分にとって最高に過ごしやすい家をつくっていきましょう。

モノそのものが「自分史」になる

以前、あるマンガ家さんの自宅を取材させていただく機会がありました。

その方の自宅には、幼小期にノートに描いたイラストや、中学時代にご自身が描いたマンガなど、思い出のグッズがとても大切に保管されていました。

「将来、もし自分の記念館がつくられたとしたら、どれも飾りたいものばかり」とほほえむ姿が、印象に残っています。

「この方の生き様が、モノを通じて次の世代に残されていくのだ」と、非常に感銘を受けました。

私にとっても、自分自身の持ちものは、社会的価値にかかわらず、人生の軌跡を象徴する、大事なモノばかりです。幼少期に母親がつくってくれた人形、父親が出張で買ってきてくれたおみやげ、祖父が残した原稿と文房具、祖母からゆずり受けたロングドレス……。ふだんは箱にしまいそっと保管しているけれど、ふとしたときに手に取ると、家族に支えられながら今日まで生きてきたことに、感謝の気持ちがあふれてきます。

一生懸命がんばった受験勉強、就職活動、留学、サークルでの楽しい思い出など、「人生で忘れたくないこと」が、風化せずに今日まで覚えていられるのは、当時の思い出が、物理的に部屋にあるから。

脳裏に焼きつけたり、写真のデータで十分と考える方もいるかもしれませんが、当時の匂いや手触りを忘れずにいられるのは、やはりモノのおかげなのです。

「令和」に元号が変わる直前、２０１９年4月に、株式会社サマリーのユーザーの方々に対して、「平成最後のお片づけ」というテーマでアンケート調査を行いました。

平成から令和に変わる節目に、多くの方に、思い出の棚卸しをしていただきました。

昭和・平成の2時代を生き、それぞれの時代のハイライトを厳選して、箱に詰めて保管される方。

平成元年に生まれ、改元を人生の節目ととらえて、自分の人生を、モノの整理を通じて振り返る方。

平成の思い出の品として、ヨーヨーやテレビゲーム機を預ける方もいらっしゃいました。当時一緒にゲームで遊んだお友だちが親友となり、人生において大事な存在になっているのだそうです。

所有物は、人にとって、生き様の縮図です。

あなたの生き様が、物理的なモノを通して、人に影響を与えていくことでしょう。

つまり、部屋の整理は、今日まで生きてきたあなたの「自分史」をまとめる作業なのです。コンプレックスやしがらみは手放して、愛にあふれた、あなただけの記念館をつくりましょう。

モノへの愛を守りながら理想の暮らしを実現しよう

私の実家の愛にあふれたモノの数々

おわりに

社会人になってからこれまでに、私は「骨の髄まで、センスのいい人」に、多く出会うことができました。

最初に影響を受けたのは、新卒同期のゆかこさん。ゆかこさんは身につけるもの、家に置くもの、すべての持ちものに統一感があり、モノを通じて自分らしさを表現している方でした。香水を1本買うのにも、丸2日間かけて、自分に合うものを吟味するのです。ご家族にもクリエイティブな職業の方が多いそうで、ゆずり受けたモノも多く、ほかの人には真似できない世界観が端々から感じられました。

私自身には、卓越したセンスやクリエイティビティはありませんが、美しい世界観をつくれる人が、なんの我慢もせず、好きなように、生きられる社会をつくりたいという思いがあります。

この本は、モノを愛し、モノを通じて自分を表現しているすべての人に向けて、より幸せな暮らしを送ってほしいという一心で書きました。

年々、都市部の家は狭くなり、若者の所有欲は冷え込んでいます。モノを手放すミニマリズムが「是」とされる中、モノを愛する人が生きづらくなっていないか、心配でなりません。

コト消費で所有が代替されつつあるとはいえ、センスの真髄は、やはり物理的なモノの所有でしか磨かれないと、私は思っています。

私たちの創造にとって、モノは財産であり、原料であり、基盤です。

1つの美しいモノをアウトプットするためには、100の美しいモノをインプットする経験が必要だと考えています。

どんなに日本の家が狭くなりつづけても、「長く使えてかさばらないモノ」以外、モノが売れない社会にはなってほしくない……。

「使う」という観点においては、たとえ効率が悪くとも、美しくて、愛らしくて、ちょっと面白おかしい、そんなモノたちが大切にされる社会こそ、豊かでクリエイティブだと思うのです。

片づけは、ウエットな精神論ではなく、ドライな仕組みです。片づけがうまくいかないからといって、どうか、モノを愛するあなた自身を否定しないでください。

本書で紹介した仕組みがあなたの中でうまくまわりはじめて、「ああ、私はなんて愛おしいモノに囲まれているのだ」と実感していただければ、私にとってこんなにうれしいことはありません。

ちなみに、家を片づけることで、私自身の生活にも、よいことが起きました。部屋の中で一人でできる趣味ができたこと。「ピラティス」と「お笑い観賞」です。

ほんの小さな喜びにも見えますが、家の中で完結できる趣味には、じつは偉大な力があります。とにかく、ボラティリティが低いのです。朝の6時でも夜中の2時でも、きれいな部屋で15分ポーズをとれば身体は整うし、雨の日も雪の日も、あたたかい部屋で見る漫才はいつでも面白い。

人に会ったり、外に出かけていくのももちろんいいのですが、1㎜の余力もないくらい働いた夜に、片づいた家ほど裏切らないものはありません。

朝目を覚ませば、使うモノと愛しているモノだけが目に入り、夜に家に帰れば、あたたかい部屋着と母がつくったぬいぐるみが出迎えてくれる。私はこの部屋があれば、外でどんなにプレッシャーに押しつぶされそうになっても、自分らしく戦えると思えるのです。

ひとりでも多くのモノを愛する方が、自分らしさを最大限発揮させて、美しい毎日を送ってくださることを、願っています。

最後に、この本を出版するにあたり、かかわってくれた方々もまた、モノへの愛が深い方ばかりです。大山さん・谷中さんをはじめとするディスカヴァーのみなさま、山本さん・谷本さん・清水さん・山口さんをはじめとする株式会社サマリーの同僚のみなさま、片づけや取材にご協力いただいたみなさま、そして私に最高の家のあり方を教えてくれた両親・弟に、感謝を伝えさせていただきます。

2020年　3月　米田まりな

モノ
部屋
人間関係
時間
全部スッキリ
片づけ
の基本
渡部亜矢
捨てられない!
時間がない!
人間関係がツライ!
これ1冊で
入門・決定版
すべて解決!

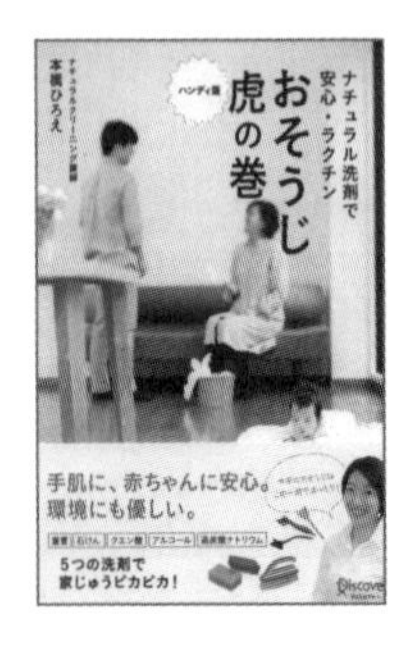

ナチュラル洗剤で
安心・ラクチン
おそうじ
虎の巻
ハンディ版
本橋ひろえ
手肌に、赤ちゃんに安心。
環境にも優しい。
5つの洗剤で
家じゅうピカピカ!

イラストでわかる!
好きなモノと美しく暮らす
収納のルール
加藤ゑみ子
プロの収納の原則
決定版!

モノが多い　部屋が狭い　時間がない
でも、捨てられない人の捨てない片づけ

発行日　2020年3月25日　第1刷

Author	米田まりな
Illustrator	高栁浩太郎
Book Designer	小口翔平+大城ひかり(tobufune)
Figure Designer	小林祐司
Photographer	丹野雄二(P179 P184 P185 P188)
Publication	株式会社ディスカヴァー・トゥエンティワン 〒102-0093　東京都千代田区平河町2-16-1 平河町森タワー11F TEL　03-3237-8321(代表) 03-3237-8345(営業) FAX　03-3237-8323 http://www.d21.co.jp
Publisher	谷口奈緒美
Editor	大山聡子　谷中卓
Publishing Company	蛯原昇　千葉正幸　梅本翔太　古矢薫　青木翔平　岩﨑麻衣　大竹朝子　小木曽礼丈　小田孝文　小山怜那　川島理　木下智尋　越野志絵良　佐竹祐哉　佐藤淳基　佐藤昌幸　直林実咲　橋本莉奈　原典宏　廣内悠理　三角真穂　宮田有利子　渡辺基志　井澤徳子　俵敬子　藤井かおり　藤井多穂子　町田加奈子
Digital Commerce Company	谷口奈緒美　飯田智樹　安永智洋　岡本典子　早水真吾　磯部隆　伊東佑真　倉田華　榊原僚　佐々木玲奈　佐藤サラ圭　庄司知世　杉田彰子　高橋雛乃　辰巳佳衣　中島俊平　西川なつか　野﨑竜海　野中保奈美　林拓馬　林秀樹　牧野類　松石悠　三谷祐一　三輪真也　安永姫菜　中澤泰宏　王廳　倉次みのり　滝口景太郎
Business Solution Company	蛯原昇　志摩晃司　野村美紀　藤田浩芳　南健一
Business Platform Group	大星多聞　小関勝則　堀部直人　小田木もも　斎藤悠人　山中麻吏　福田章平　伊藤香　葛目美枝子　鈴木洋子
Company Design Group	松原史与志　井筒浩　井上竜之介　岡村浩明　奥田千晶　田中亜紀　福永友紀　山田諭志　池田望　石光まゆ子　石橋佐知子　川本寛子　丸山香織　宮崎陽子
Cover Photo	アマナイメージズ
Proofreader	文字工房燦光
DTP	一企画
Printing	シナノ印刷株式会社

ISBN978-4-7993-2595-7